だいわ文庫

誰かに話したくなる!

「和食と日本人」おもしろ雑学

武田櫂太郎

大和書房

はじめに

かつて取材で京都を訪れるたびに泊まっていた旅館は、朝食が名物でした。つやつやと輝くいい炊き加減のごはんに白味噌の味噌汁。おかずは焼いた分厚い生鮭の切り身と出汁《だし》をたっぷりふくんだ玉子焼き。もちろん京漬け物も三種類。そして、黄身がこんもり盛り上がった生卵もついていました。

小ぶりのお櫃《ひつ》には、ごはんが三合以上は入っていて、残すだろうなと思いつつ食べはじめるととまりません。そばを流れる高瀬川《たかせがわ》のアヒルの鳴き声を聞きながら食べまくり、最後はお茶漬け（京都ですからぶぶ漬けでしょうか）にして、結局ぜんぶたいらげてしまうのが常でした。いまは廃業して味わえないのが残念です。

べつに旅先でなくとも、朝は和食という人も多いようです。たしかに刺身や寿司、天ぷらに鰻《うなぎ》といったごちそうもいいですが、ごくふつうのおかずで食べる朝食を前にすると「和食だなぁ」と感じます。

和食は平成二十五年（２０１３）、ユネスコ無形文化遺産に登録されました。登録対象は、「自然を尊ぶ」という日本人の気質に基づいた「食」に関する「習わし」で、その特徴は「多様で新鮮な食材とその持ち味の尊重」「健康的な食生活を支える栄養バランス」「自然の美しさや季節の移ろいの表現」「正月などの年中行事との密接な関わり」だとされています。

登録が報道されたとき、名だたる料理人たちがよろこんでいましたが、多少の違和感をおぼえました。たしかに現代の日本料理は、世界が注目する食の最高峰のひとつでしょう。しかし、そんな高級料理はほとんどの人が食べたことがありません。

自然を尊ぶ日本人がつちかってきた食材を活《い》かした料理「和食」は、つねに庶民の生活とともにあったはずです。

本書では、長い歴史のなかで、さまざまに変化し、進歩していった和食について、調味料や食材、調理法に注目しながら、なじみぶかい献立の数々にかくされた秘話をご紹介していきます。

いまの和食のかたちができあがった江戸時代の話では、「いまのお金にしたらいくらぐらいなのか」をできるだけ記すようにしました。ただ、問題なのは江戸時代の貨幣価値がいまと単純にくらべられないことです。

米の値段を基準にした場合と、そば一杯の値段を基準にした場合でも、一両の価値はかなりちがいます。また、二百五十年以上つづいた時代ですから、前期と中期、後期では物価も大きく変動しています。江戸初期は一両十万円、中期は五万～六万円、幕末は一万円程度というおおよその目安はありますが、これも、なにを基準にするかで異なります。

そこで、多少乱暴ではありますが、物価が大きく変動した幕末をのぞき、一文＝二十五円と考えてご紹介してみました。江戸でおなじみだった屋台「四文屋」では一品四文ですから、およそ百円、十六文のそばは一杯四百円というわけです。

最後になりましたが、出版の機会を与えてくださった大和書房の長谷部智恵さん、編集の労をとってくださった草樹社の辻口雅彦さんに深く感謝申し上げます。

平成二十八年　睦月《むつき》

著者　識

誰かに話したくなる！「和食と日本人」おもしろ雑学…………【目次】

CHAPTER 2

「寿司・天ぷら」の謎

だれもが愛する和食の定番

CHAPTER 3
「刺身・煮魚・焼き魚」の謎
海の幸を味わう多彩な料理法

CHAPTER 4 酒と酒肴と「宴会」の謎
日本人が育てた「うま味」のマリアージュ

CHAPTER 5 ご飯と「ご飯の友」の謎
互いに高めあう究極の和食

CHAPTER 6

肉料理の謎

タブー視されても生き残った「薬」の味

CHAPTER 8 そばとうどんの謎

こだわりが生んだ麺の誘惑

CHAPTER 1

「さしすせそ」と出汁の謎

和食の「うま味」はこうして生まれた

01

和食の条件とはなにか？

和食最大の特徴は出汁にある

◆出汁はいつごろから使われたのか

いまや世界中でブームになっている日本料理で、外国人がもっとも魅了されるのが「うま味」の奥深さだ。**味覚には、甘味《あまみ》・酸味《さんみ》・塩味《しおみ》・苦味《にがみ》・辛味《からみ》があり、ほとんどの料理の味つけの基礎になっているが、これに第六の味覚、「うま味」を加えたのが、和食の特徴**である。

和食の場合は、鰹節《かつおぶし》、昆布《こんぶ》、煮干《にぼ》し、シイタケなどを使った「出汁《だし》」が重要な意味を持つ。その最大の特徴は、油脂《ゆし》成分が極端に少ないことだ。西洋料理や中華料理の場合、牛や豚、鶏などの肉や骨に野菜などをつかってスープをつくる。煮込み料理にスープは欠かせない。スープのうま味は、表面に浮いた脂《あぶら》にあるといってもいい。

もはや和食とよんでもいいラーメンでは、鰹節や昆布などの和風魚介スープに豚骨《とんこつ》などの濃厚動物系スープを合わせるのが流行している。中華風の動物系スープに和風の出汁を加えることで、味の深みを求めているわけだ。

では、「出汁」はいつごろ生まれたのだろうか。もっとも古いと思われるのが、鎌倉時代の『厨事類記《ちゅうじるいき》』で、そのなかに「タシ汁」とある。ただ、昔の文章は、濁点がついていないから、これが「ダシ」なのか「足し」なのかわからない。

室町末期に書かれた『大草殿《おおくさどの》より相伝之聞書《そうでんのききがき》』は室町時代にはじまったとされる日本料理の流派・大草流の秘伝書で、ここに、**「だし」が登場する。**料理はなんと白鳥の煮物だ。「鰹節は、表面の皮を削りとり、布の袋に入れて、米のとぎ汁でよく煮出し、よく漉《こ》しておく。すまし味噌一杯に、だしを三杯入れて合わせる」とある。

江戸時代になると、出汁のとりかたは、ほぼいまと同じになる。寛永《かんえい》二十年（1643）刊行の『料理物語』は、料理名と食材名、調理法が書いてある庶民むけ料理ガイドの元祖といえるものだ。それによれば、「水一升五合（約2・7リットル）に対し、鰹節は一升」と贅沢《ぜいたく》につかい、「煎《せん》じて、味をみながら、甘味がでたところであげる。煮すぎるとよくない。二番だしもつかえる」とある。

寛文《かんぶん》八年（1668）の『料理塩梅集《りょうりあんばいしゅう》』では、「水一升に鰹節一本、昆布二枚ほどいれ」とあって、すでに合わせ出汁の技法が確立していたことがわかる。

02

鰹節はどうやって生まれたか？

出汁以前のカツオとは

◆「かつおせんじ」は最古の人工調味料か

カツオがはじめて文献に登場するのは、『古事記』だ。雄略《ゆうりゃく》天皇のころ（五世紀前半）、天皇が河内《かわち》（大阪府南東部）に行幸したとき、「堅魚《かつお》を上げて舎屋《や》を作れる家」をみつけて「だれの家か」と問うたという。

神社の屋根の上に、円柱状の木が何本ものっているのはご存じだろう。この円柱は堅魚木《かつおぎ》といって、カツオまたは鰹節をかたどったものといわれている。雄略天皇は、「わたしの家に似せてつくったな」と怒り、「堅魚を上げて舎屋を作れる家」を焼き払ってしまう。ただ、『古事記』にでてくる堅魚が、カツオまたは鰹節《かつおぶし》なのか、それともカツオをかたどった円柱だったのかは、はっきりしない。カツオをそのまま屋根にのせたら生臭いし、まだ鰹節の製法は開発されていないから、堅魚木の可能性が高いが、いずれにしても、**『古事記』が成立した和銅《わどう》五年（７１２）には、カツオが天皇**

の家の建築資材の名に採用されるほど、なじみぶかい魚だったことがわかる。

また、『日本書紀』には景行《けいこう》天皇五十三年（四世紀？）に上総《かずさ》（千葉県中部）でカツオが釣れたという話がのっている。しかし、景行天皇は実在したかどうかわからないし、『日本書紀』の成立は養老《ようろう》四年（720）だから、文字として書かれたカツオは、『古事記』が最初ということになる。

原典は失われているものの、九世紀の注釈書『令集解《りょうのしゅうげ》』に採録されている天平《てんぴょう》宝字《ほうじ》元年（757）の『養老律令《ようろうりつりょう》』に、はじめて食べ物としてのカツオが登場する。

税金として海産物を徴収した記録のなかに、**「調《ちょう》」という現物納税の品目として、「堅魚」「煮堅魚《にがたうお》」「堅魚煎汁《かつおのいろり》」があげられている**のだ。ただし、堅魚は鰹節ではなく、細く切って干しただけのもので、北海道のお土産にもある鮭《さけ》とばのようなものだった。煮堅魚は、煮てから干したもので、製法としては現在のなまり節に近い。堅魚煎汁は、カツオを煮た汁を煎じ詰めたものだ。

枕崎《まくらざき》（鹿児島県）の伝統製法を守る鰹節工場では、古代の「堅魚煎汁」と同じ「かつおせんじ」もつくっている。製法は、鰹節をつくるときにできる煮汁を煮詰めただけである。カツオのエキスが凝縮された濃厚な味で、味噌汁や煮物の隠し味につかう。

記録がないので、うっかりしたことはいえないのだが、堅魚煎汁が現在のものと同じなら、味つけにつかったり、お湯で割って汁として味わっていた可能性もあるのではないだろうか。**堅魚煎汁は、最古の人工調味料だったかもしれない。**

ちなみに、インド洋のモルディブには、日本とよく似た鰹節があって、「かつおせんじ」とまったく同じものを調味料としてつかっている。

カビ付けがカツオ節を変えた

「鰹節」という言葉がはじめて文献に出てくるのは、永正《えいしょう》十年（1513）、戦国時代初期のことだ。臥蛇島《がじゃじま》（鹿児島県十島村）から種子島《たねがしま》の領主に「鰹ふし五れん（鰹節五連）、叩煎の小桶」が納められたという記述が、『種子島家譜』にある。

ただし、この「鰹ふし」も、いまのような硬い鰹節だったわけではない。

現在と同じ製法の鰹節が考案されたのは、江戸時代初期のころといわれる。土佐《とさ》（高知県）に住んでいた紀州（和歌山県）出身の漁師が考え出した。カツオを煮て、籠《かご》に入れて囲炉裏《いろり》の上に吊るし、その熱や煙でいぶして乾燥させる「焙乾《ばいかん》」のあと、カビ付けをおこなうというものだ。

このカビ付けが画期的だった。カビがはえることで、タンパク質が分解され、煮ただけでは除ききれなかった脂肪が除去されるのだ。

当時はアオカビを自然発生させていたが、いまはカツオブシカビという青緑色のカビ菌を噴霧する。鰹節づくりで大事なのは、どうやって水分と脂肪分を除去するかということだ。だから、**鰹節につかうカツオは、脂がのった旬のものではなく、むしろ脂が少ない季節はずれのものが適している。**枕崎の鰹節工場で聞いた話だ。

江戸時代、上等とされたのは、紀州の「熊野《くまの》節」で、江戸中期以降になると、現在とほとんど変わらない製法が発達し、土佐節、薩摩《さつま》節がもてはやされるようになる。古代は九州南部や伊豆《いず》国（静岡県伊豆半島・東京都伊豆諸島）が主産地だった鰹節は、近世になって土佐や紀州に中心を移したことになる。

鰹節は、タンパク質をはじめ、カルシウムやミネラルが豊富で、脂肪の酸化を防ぎ動脈硬化の予防に役立つといわれる。元禄《げんろく》十年（1697）に人見《ひとみ》必大《ひつだい》が書いた『本《ほん》朝食鑑《ちょうしょっかん》』にも「気血を補い、胃腸を整え、筋力増強、歯牙《しが》を固くし、肌のきめが細かくなり、髪や髭《ひげ》がきれいになる」とあり、鰹節の効能は江戸時代にはすでに注目されていた。

03

うま味の正体とは？

煮干しにシイタケ、合わせ出汁

◆◆◆うま味の正体はなにか？

かつての中華料理は、化学調味料をつかうのが流行し、舌がしびれるほどだといわれたが、最近は控えることが多いようだ。いまでは、ラーメン店や回転寿司チェーンで「化学調味料無添加（無化調《むかちょう》）」を売りにしているところもあって、「化学調味料」というよび名には、あまりいいイメージがない。

そのためか、最近は「うま味調味料」というよび名に統一されており、「味の素」を筆頭にした業界団体も「日本うま味調味料協会」を名乗っている。

目の敵《かたき》にされがちな「化学調味料」だが、じつは、美食家として有名な、あの北大路魯山人《きたおおじろさんじん》もつかっていた。もちろん、上等の料理はちゃんと鰹節《かつおぶし》や昆布《こんぶ》で出汁《だし》をとるべきだとしながら、まったく否定するわけでもなく、たまに自分で食べる料理につかったりしたという話が、魯山人の書いた『料理王国・春夏秋冬』にでてくる。

昆布のうま味成分がグルタミン酸ナトリウムであることを発見したのは、薩摩藩出身の化学者・池田菊苗《いけだきくなえ》だ。明治四十一年（1908）のことで、「うま味」と命名したのも池田博士である。よく、グルタミン酸と省略されたりするが、グルタミン酸そのものはうま味がない。グルタミン酸とナトリウム塩がイオン結合した化合物であるグルタミン酸ナトリウムこそが昆布のうま味の成分なのだ。

鰹節のうま味であるイノシン酸ナトリウム、シイタケのグアニル酸ナトリウムも加え、水に溶けやすい顆粒状に精製したものが、うま味調味料である。裏を返せば、うま味調味料の成分こそが、出汁のうま味の正体であることは、まちがいない。

◆縄文人がはじめて出会ったうま味は？

いまは、カツオ出汁やイリコ出汁の素《もと》があるし、出汁入りの味噌もあるから、鰹節を削ったりする家庭は少ないだろう。では、そういう便利なものがなかった江戸時代は

うま味成分の正体を発見した池田菊苗（1864〜1936）（写真提供／毎日新聞社）

どうやって、うま味を味わっていたのだろうか。

江戸時代も中期をすぎると庶民の暮らしも向上して、日常の食事にも出汁をつかうようになる。ただ、鰹節はやはり高級品なので、ふつうは煮干しで出汁をとった。

煮干しは、イワシを文字どおり煮て干したもので、カタクチイワシをつかったものをさすことが多い。ほかにも、居酒屋のメニューにならぶマイワシやウルメイワシなどもある。煮干しは東日本での呼び名で、西日本ではイリコだ。これは「炒り子」のことだが製法は同じで、煮てから干す。

鰹節の代用品として煮干しがつかわれたのは、おもに西日本で、東日本では鯖《さば》節や宗田《そうだ》節が使われた。煮干しをつかった出汁が東日本でも普及したのは、明治時代以降といわれる。

鍋物には欠かせないシイタケのうま味成分は、グアニル酸ナトリウムだ。

曹洞宗を開いた道元《どうげん》の『典座教訓《てんぞきょうくん》』にでてくる「苔」や「椹」がシイタケの初出といわれるが、別のキノコをさす可能性もあってはっきりしない。**「椎茸」の文字がはじめてでてくるのは室町幕府の政所代《まんどころだい》だった蜷川親元《にながわちかもと》の『親元日記』だとされている。**伊豆の円成寺《えんじょうじ》から足利義政《あしかがよしまさ》にシイタケが献上されたというものだ。将軍に献上されるぐらいだし、いまのように菌床《きんしょう》栽培などの技術はないから、シイタケはかなりの高級品だった。

鍋物や吸い物では、ハマグリやアサリ、シジミのうま味も味わい深い。ハマグリのうま味主成分はコハク酸ナトリウムだ。

おそらく、**日本人がはじめて出会ったうま味はハマグリだったろう。**というのも、縄文時代にハマグリの大豊漁期があったからで、貝塚から出土する貝殻のなかでもハマグリは圧倒的な量に達している。

江戸時代は、仲秋《ちゅうしゅう》の名月の日に煮蛤を食べる風習があった。婚礼の吸い物はハマグリが必須。貝合わせとおなじで、「貞女、両夫にまみえず」という意味がある。ただし、身は食べないのがしきたりだった。

ハマグリの田楽《でんがく》は千鳥《ちどり》焼きといった。ナスは鴫《しぎ》焼きで、カツオは雉《きじ》焼き。利尿や喉《のど》の渇きに効くとされた。

ちなみに、碁石の白はハマグリの貝殻をつかっており、三河《みかわ》（愛知県東部）産が有名。黒は、硯《すずり》にもつかわれる那智黒《なちぐろ》という石を材料にしている。

04

京料理に昆布出汁がつかわれる理由は？

北前船がもたらした北海道の恵み

下り物さえくだらなかった江戸の昆布

カツオが「勝つ男」なら、昆布《こんぶ》は「よろこぶ」。どちらも古くから縁起物として、めでたい席に欠かせない食材だ。昆布そのものを味わう料理としては、おぼろ昆布や佃煮《つくだに》、身欠きニシンをつかった昆布巻きや鳥取県米子《よなご》駅の駅弁にもなっている「吾《ご》左衛門鮓《ざえもんずし》」が思い浮かぶ。

もともと昆布は、神前に供える神さまの食べ物、神饌《しんせん》につかわれてきた。平安時代の法令集『延喜式《えんぎしき》』では、陸奥国《むつ》（福島県・宮城県・岩手県・青森県・秋田県北東部）の昆布が、納税の指定品目になっている。

昆布出汁《だし》は京料理の定番だ。とくに出汁昆布に適しているのは羅臼《らうす》昆布、利尻《りしり》昆布で、あっさりしていながら、丸みのある深い味わいがうまい。

関西は昆布出汁や鰹節《かつおぶし》との合わせ出汁、関東は鰹節出汁が主流なのはご存じのとおりだ。その理由にはふたつの説がある。

ひとつめは流通の問題。豪商・河村瑞賢《かわむらずいけん》は、寛文《かんぶん》十二年（1672）、北陸から下関を通過し、瀬戸内海経由で大坂にいたる西廻り航路を開発した。のちに西廻り航路は蝦夷地《えぞち》（北海道）まで延び、蝦夷地の物産を運ぶ北前船《きたまえぶね》の流通をいっそう加速させた。

大坂に運ばれた蝦夷地の昆布は、上物《じょうもの》からさきに売れていく。その残りが江戸に下《くだ》るわけだ。上方から江戸へ下る産物は、「下り物」といわれて江戸では珍重された。それが転じて「くだらない」といえば、上方から関東に回ってこない質の悪いもの、あるいは関東地場産の良質でないものをさすようになったのだ。ところが、**昆布の場合、この下り物でさえ、あまりいいものが江戸には入らない。それで、昆布出汁が江戸では広まらなかった**という。

もうひとつは、江戸の水だ。

関西はミネラルをほとんど含まない軟水なので、昆布出汁がかんたんにとれる。一方、関東は、ミネラルを多く含む硬水なので、出汁をとるのに非常に時間がかかる。

関西では昆布出汁とカツオ出汁を合わせて、味の深みを求めるが、関東では手間がかかりすぎるため、カツオ出汁に濃口醤油を足して味を決めた、というわけだ。

05

なぜ「さしすせそ」の順番なのか？

砂糖は江戸時代の贈答品の定番だった

◆まず砂糖を入れるわけは？

煮物などの味つけで、基本とされるのが「さしすせそ」。

「さ」は砂糖、「し」は塩、「す」は酢、「せ」は醬油、「そ」は味噌で、調味料はこの順番で入れるのがコツだ、といわれる。醬油がなぜ「せ」なのかといえば、昔は「せうゆ」と書いて「しょうゆ」と読んだからだ。味噌なら「み」じゃないか、とつっこみたくもなるが、そこは語呂合わせ。最後に入れるから、味噌の語尾をとった、とでもいっておこう。

では、なぜ、砂糖がいちばん最初なのだろうか。かりに里芋の煮物をつくるとして、塩や醬油を最初に入れたらどうなるか。塩分はしみこみやすく、砂糖はなかなか浸透しない。つまり、塩や醬油をさきに入れてしまうと、あとでいくら砂糖を足しても、甘辛ではなくて塩味ばかりが舌にのこる仕上がりになってしまうのだ。だから、砂糖をはじめに入れたら、少し間をおいて、砂糖の甘味がしみこむのを待つ必要がある。

「さ」は酒のことでもある。煮魚では、砂糖よりもさきに酒を入れる。アルコール分がとぶときに、魚の臭みもいっしょに消してくれるのだ。

みりんも同じで、酒と同じタイミングで入れるが、これは本みりんの場合。アルコール分がほとんどないみりん風調味料は、味噌のあとで入れるのがコツだ。

◆砂糖は薬としてあつかわれた？

砂糖は、昔は高級品だった。原料はサトウキビやテンサイ（サトウダイコン）などだが、**日本で栽培がさかんになったのは江戸時代中期、八代将軍・徳川吉宗《とくがわよしむね》がサトウキビ栽培を奨励して以降である。それまでは中国から輸入されたものしかなかった。**

砂糖がめずらしい時代に、甘いものといえば、干し柿やカボチャぐらいだった。

戦国時代に来日したイエズス会宣教師のルイス・フロイスが書いた『日本史』には、織田信長《おだのぶなが》が、フロイスを自室に招き入れて茶をふるまい、「日本できわめて珍重される美濃《みの》の干した無花果《いちじく》」が入った四角い箱を与えた、とある。フロイスにはイチジクにみえたのだろうが、これは干し柿のことだ。信長は、フロイスからコンペイトウを献上されており、その甘さにさぞ驚いたことだろう。

江戸時代中期までに中国から輸入されたのは、白砂糖、氷砂糖、黒砂糖、石蜜《せきみつ》で、等級によって、上品《じょうぼん》・中品《ちゅうぼん》・下品《げぼん》にわけた。**上等な砂糖は「三盆《さんぼん》」、中品は「上白《じょうはく》」、下品は「太白《たいはく》」といった、**と江戸後期の百科事典ともいえる『守貞謾稿《もりさだまんこう》』にある。上等なものは「唐《とう》三盆」ともよばれた。つまり、香川や徳島の名産「和三盆」糖は、日本製の上等な砂糖という意味なのだ。白砂糖は貴重で高級品だったから、漢方薬をあつかう薬種屋で、薬として売られていた。

そのころの国産の砂糖といえば、奄美《あまみ》諸島のサトウキビを原料にした黒砂糖だった。奄美を支配する薩摩《さつま》藩は「黒糖《こくとう》地獄」とよばれる奄美の島民にとって苛酷な専売制を強制していたが、その黒砂糖は樽につめて京都・大坂や江戸に運ばれた。**品質は悪くとも、黒砂糖は貴重な甘味だったから、江戸の庶民全体で「一日に黒砂糖百六十樽をなめた**」と大田南畝《おおたなんぼ》が『俗耳鼓吹《ぞくじこすい》』に書いている。

サトウキビの栽培を奨励し国内で白砂糖の製造がはじまったのは、宝暦《ほうれき》年間（1751～63）以降のことだったといわれる。

砂糖の普及は、江戸の夏に甘い飲み物をもたらした。それが「冷水《ひやみず》売り」だ。水に砂糖を溶かしたもので、冷水といっても氷で冷やしてあるわけではない。薄い砂糖水に道明寺粉でつくった白玉がはいっている。一杯四文（約百円）だった。

旗本たちが精を出したお中元やお歳暮のつけとどけにも、白砂糖は重宝された。ほしいけれど、なかなか自分で買わない、という贈答品には最適の品物だったわけだ。

値段は、白砂糖が一斤《きん》（約600グラム）百八十文、黒砂糖でも一斤百十六文で、四文をおよそ百円とすれば、白砂糖で四千五百円程度ということになる。天保《てんぽう》四年（1833）には、白砂糖三百五十文、黒砂糖二百八十文に値上がりした。これは、飢饉による品薄がよびこんだ物価上昇だったのだが、高くなれば売れない。まもなく、二百文前後に落ち着いたが、上物の白砂糖は二百四十文から二百五十文、「三盆雪白《ゆきじろ》」という高級品は、三百五十文だった。

江戸のスイーツといえば、お汁粉《しるこ》も欠かせない。江戸はつぶあんに切り餅、上方《かみがた》ではぜんざいというのはいまと同じだ。江戸のこしあんは、漉《こ》すわけではなく、小豆《あずき》の粒をつぶしてある。この「つぶしあん」を使った田舎《いなか》汁粉は、一杯十六文で売っていた。

海藻をつかった製塩法とは？

06

藻塩で食べる駅弁の味

◆日本人はどうやって塩を手に入れてきたか

塩は、じつに便利な調味料だ。どんな食材でも、ひと振りするだけで、うまいと思えるようになる。塩もみのキュウリなどは、その代表格だ。究極の和食ともいうべき、塩むすびはもちろん、焼き鳥なら「たれにしますか。塩にしますか」と聞かれて、迷わず「塩」と答える人は多いし、天ぷらやトンカツも塩で、と通ぶる人もいる。

海外では岩塩が主流だが、海に囲まれた日本では、当然、海水を原料に製塩してきた。縄文時代、すでに海水を土器に入れて煮詰めて塩をつくっていたが、弥生時代になると、海藻をつかった製塩法が生まれた。それが「藻塩《もしお》焼き」だ。海中に細く長くのびるアマモを集めて海水をかけ、乾かしてから火をつけて焼く。その灰を水に溶かし、煮詰めて製塩する。

アマモは藻塩草の別称もあるほどで、『万葉集』にもその名がみえるから、古代ではかなり普及していた製塩法だったようだ。宮城県塩竈《しおがま》市の鹽竈《しおがま》神社では、その製法を伝える「藻塩焼神事」が毎年七月におこなわれる。祭神は製塩法を広めたとされる塩土老翁《しおつちのおじ》で、神社名からもわかるように、藻塩をつくるための神釜が四口伝わっている。つかう海藻がアマモではなくホンダワラ科アカモクなのは、松島湾で豊富にとれたからだろう。

かつて仙台駅で売っていた駅弁「塩竈藻塩弁当・塩結《えんむすび》」は、宮城県産ひとめぼれのおむすびに、鮭《さけ》の酒粕《さけかす》漬け焼き、野菜の素揚げ、笹蒲鉾《ささかまぼこ》などのおかずがつき、古式製法にのっとってつくられた藻塩の小袋がついていた。ふつうの食塩とちがって、味に丸みがあり、ぜんぶかけても、しょっぱさはあまり感じない。復活が待たれる味だ。

江戸時代の塩といえば、赤穂《あこう》が有名だ。**赤穂では、汲み上げた海水を塩田にまく揚《あげ》浜《はま》法ではなく、潮の干満を利用して海水を塩田に引き入れる入浜《いりはま》法を採用して生産性があがった。**酒とおなじで、江戸に下ってくる塩は「下り塩」とよばれて珍重されている。

「忠臣蔵」でおなじみの元禄《げんろく》赤穂事件は、塩の製法や販売をめぐる浅野内匠頭《あさのたくみのかみ》と吉良《きら》上野介《こうずけのすけ》の確執が刃傷《にんじょう》事件の動機だとする説もあるが、あまり信憑性はない。

07

味噌のルーツはなにか?

独自の進化をとげた未曾有の味

◆◆◆謎に包まれた奈良時代の味噌

世界の空港には、その国独特の匂いがある。たとえばインドならカレー、パリならバターたっぷりのクロワッサン。成田の場合は味噌汁の匂いだという。ふだん日本人はあまり感じないかもしれないが、和食レストランから漂ってくる匂いに、外国人は敏感に反応するようだ。

味噌は日本人にとって、欠かせない調味料のひとつである。赤味噌・白味噌・麹《こうじ》味噌など種類も豊富で、地方によってさまざまな味噌がある。というより、昔は自家製の味噌があたりまえで、それぞれの家ごとに自慢の味があった。「手前味噌」という言葉は、そこから生まれたのだ。

大豆を蒸して麹と塩を加えて発酵させる味噌は、比較的簡単につくれるため、中世以降、急速に普及していった。

朝晩の食事に味噌汁がつくようになったのは、室町時代から江戸時代にかけてといわれる。味噌汁は手軽だし、うまいので、江戸の庶民は毎朝飲んでいた。定番は、納豆を刻んで入れる納豆汁である。

味噌のルーツは、仏教とともに朝鮮半島を経由して伝わった「醤《ひしお》・未醤《みしょう》・豉《くき》」だといわれている。醤は、いまでも豆板醤《トウバンジャン》や甜麺醤《ティエンメンジャン》といった中国味噌に名が残っているように、日本の味噌のようなペースト状ではなく、魚や肉を塩と酒に漬けて発酵させた液状のものだったようだ。「豉」は大豆が主原料で、いまでも中華の炒めものでつかう黒大豆の「豆豉《トウチー》」に近いものだろう。そして、「未醤」こそが、いまの味噌のルーツだといわれている。

平安時代の法令集『延喜式《えんぎしき》』には原料が書いてあって、「醤大豆一石、米五升四合、糵料（不明。麹のことか）、小麦五升四合、酒八升、塩四斗」をつかって、一石の味噌ができた、とある。しかし、これらの材料をつかっても、いまの味噌のようにはならない。

じつは、「醤・未醤・豉」は、文字こそ伝わっているが、どんな食品だったのかは、謎に包まれているのだ。

◆◆八丁味噌の謎

古代の味噌は正体不明だが、次第に独自の進化をとげ、いまの味噌に近づいていった。魚や肉を塩に漬けた醬は、日本では「高麗醬《こまびしお》」とよばれていたが、仏教が禁じる殺生につながるために敬遠され、やがて、豆や穀物をつかうようになる。

初期の味噌は、調味料としてつかうのではなく、舐《な》め味噌としてそのまま食べるものだった。和歌山県の名産「金山寺《きんざんじ》味噌」のようなものである。ただ、金山寺という寺は紀州にはないので、「径山寺《きんざんじ》味噌」と書くのが正しいともいう。径山寺は中国浙《せっ》江《こう》省にあり、南宋五山のひとつだ。

江戸時代に入り、寛永《かんえい》二年（1625）、尾張《おわり》国（愛知県西部）で豆味噌の生産がはじまった。幕末までには、すでに五百から六百の地方特産味噌が製造されるようになる。仙台藩などは、江戸の下屋敷に味噌蔵を建て、江戸暮らしの藩士たちは自前の仙台味噌を味わっていた。

尾張で製造がはじまった豆味噌は、米麴や麦麴ではなく、大豆由来の豆麴をつかったもので、隣国三河《みかわ》でつくられたものはとくに「三河味噌」とよばれた。そう聞くと、

「八丁《はっちょう》味噌」を思い浮かべる方も多いだろう。愛知県岡崎市の名産で、黒褐色の薫り高い味噌だ。しかし、料理史研究で知られた川上行蔵氏は、『日本料理事物起源』のなかで、「八丁味噌は三河味噌ではない」と断言している。「八丁」とは、岡崎城から西へ八丁（約870メートル）離れた八丁村でつくられたから、というのがよく知られる由来だが、川上博士によれば、「八丁味噌」という言葉は、明治・大正時代はもちろん、江戸時代の史料にはまったく出てこないという。

豆麹だけでつくる製法は同じだが、三河味噌は大豆をつぶさないで、豆の形そのままで発酵させたものだった。それは奈良時代に伝わった未醤や豉に近いものなのかもしれないが、はっきりとはわからない。そして、いまは消えてしまった三河味噌が、豆をすりつぶした八丁味噌に変身した過程も謎のままなのだ。

08

味噌と醤油はもとは同じもの？

味噌づくりから生まれた液体調味料

◆「下り醤油」に勝った関東の濃口醤油

もし醤油がなかったら、和食はまったく別のものになっていただろう。それほど、醤油は和食にとって重要な調味料だ。

醤油の母体は味噌だった。40ページでふれた「径山寺《きんざんじ》味噌」を伝えた鎌倉時代の禅**僧・覚心《かくしん》が、紀州（和歌山県）の湯浅《ゆあさ》（有田郡湯浅町）で村人に味噌のつくりかたを教えている過程で、樽底にたまった汁がうまいことに気づき、それをきっかけに「たまり醤油」が生まれた、**という。

当時の味噌は、「醤《ひしお》」とよばれていた。**まず醤をつくり、それをしぼって汁をとったから、「醤油」という言葉が生まれた**のだ。ただし、醤油という言葉自体は、室町時代中期まではつかわれず、戦国時代になって、やっとあらわれる。公家の山科言継《やましなときつぐ》が書いた日記『言継卿記』には、言継が長橋局《ながはしのつぼね》という女性に醤油の小桶を贈ったと

いう記述があって、すでにふつうにつかわれていたことがわかる。

醤油の元祖が湯浅なら、関東で発展したのが、キッコーマンの前身となった野田《のだ》の醤油だ。いまの千葉県野田市で醤油がつくられはじめたのは戦国時代のことで、徳川《とくがわ》家康《いえやす》が江戸に入府して以降、地廻りの野田醤油も生産を拡大していった。はじめは、上方《かみがた》から船で運ばれる「下り物」の薄口醤油の味がまさっていたが、寛文《かんぶん》年間（1661〜72）に創業した野田醤油をはじめ、元和《げんな》二年（1616）創業のヒゲタ醤油、正保《しょうほう》二年（1645）創業のヤマサ醤油など、銚子《ちょうし》（千葉県）の醤油も台頭していく。

その原因は、輸送にかかるコストだった。どんどん人口が増えて大消費地に成長した江戸へ上方から醤油を送るためには、手間も時間も、費用もかかる。その点、**関東の醤油蔵は、利根川や江戸川の舟運を利用できるから、コストは抑えられ、値段も安くなる。高い下り醤油は次第に駆逐され、江戸近郊でつくられる濃口醤油は、「関東の味」になった。**

浅草にあった高級料理茶屋「八百善」の記録によれば、料理は「土佐鰹節《かつおぶし》、氷砂糖、野田の醤油」をつかうのが秘伝、とあって、野田の醤油は下り醤油にまさる品質を評価されていたのだ。

09 みりんは酒以上の高級飲み物だった？

女性が飲んだ江戸のポートワイン

◆人気だった江戸っ子好みの白みりん

煮物や照り焼きで活躍するのが、みりんだ。

漢字で書けば「味醂」。焼酎に蒸したもち米と米麹《こめこうじ》を合わせ、約二ヶ月間熟成させたあと、しぼりだす。この黄色く濃厚な液体をさらに一ヶ月ほど寝かせ、濾過《ろか》したものを、本みりんとよぶ。

この工程をみてもわかるとおり、原料がもち米というだけで、日本酒の醸造とよく似ている。アルコール分も約14パーセントあるから、酒とほぼ同じだ。ただし、糖分は約40パーセントと非常に高い。この甘味が、料理の「照り」や「つや」を生み出すのだ。

愛知県の三河、京都の伏見、千葉の流山《ながれやま》が産地として有名で、ウナギの蒲焼《かばやき》のたれやそばつゆ、佃煮《つくだに》などには欠かせない調味料として、江戸時代からつかわれている。

「万上《まんじょう》」のブランド名でおなじみの流山のみりんは、文化《ぶんか》十一年（1814）から製造がはじまった。流山で造り酒屋を営んでいた相模屋《さがみや》の堀切紋次郎《ほりきりもんじろう》が開発した「白みりん」は、それまでの黄色く濁ったみりんとくらべてすっきりとした江戸っ子好みだったから、たちまち人気になった。

江戸時代には「味醂酒」とよばれ、いまほどアルコール分が高くなかったから、とくに女性に好まれた。ポートワインや梅酒の感覚だろう。値段は上物で一升が百文。四文をおよそ百円と考えると二千五百円程度で、伊丹《いたみ》（兵庫県）や西宮《にしのみや》（兵庫県）など上方からの「下り酒」が一升七十文から八十文だから、けっこう高い。

みりんのしぼりかすも甘いので、「こぼれ梅」というしゃれた商品名で、女性や子どものおやつになった。みりんに焼酎を加えて、酒飲みにも満足できるようにした「本直し《ほんなおし》」や「柳陰《やなぎかげ》」もあった。

料理につかう「みりん風調味料」は、アルコール分が1パーセント未満しかないので、本みりんとはまったく別物と考えていいだろう。とはいえ、本みりんには必要なアルコール分をとばす「煮《に》きり」が不要だし、糖分は本みりんより多いので、照りやつやを出す効果が高い。

10

醤油と魚醤はどうちがう?

「しょっつる」や「いしる」が生まれた背景

◆塩辛がルーツの庶民向け調味料

エスニック・ブーム以来、ベトナムのニョクマムやタイのナンプラーはすっかりおなじみとなり、スーパーの棚にもならんでいる。これらは魚醤《ぎょしょう》といわれる調味料で、大豆を原料とした醤油とはちがって、魚介類を塩で漬けて発酵させたものだ。日本でも、**秋田県の「しょっつる」や能登半島の「いしる(いしり)」、香川県の「いかなご醤油」が魚醤として知られている。**

魚醤は醤油より塩分が濃く、香りは独特だ。チャーハンの仕上げに小さじ一杯ほどを回しかけるだけで、香ばしい匂いが鼻に抜ける。秋田名物ハタハタを食べるには、しょっつる鍋がいちばんんだ。

醤油にくらべて、魚醤はあくまで地方の名物であり、全国的になじみは薄いといっていいだろう。しかし、**醤油が普及する以前や、醤油が手軽に購入できるようになっ**

た江戸時代まで、庶民が重宝したのは魚醤のほうだった。

そのルーツは塩辛にある。平安時代の『延喜式《えんぎしき》』に「鰯魚汁」という言葉がでてくるが、これはイワシのつみれ汁などではなく、イワシの塩辛の汁ではないかと推測されているのだ。

江戸時代前期の『百姓伝記《ひゃくしょうでんき》』には、「**大きな魚を切り裂いてたたいてから塩を合わせたり、小魚をそのまま塩と合わせたりして、桶やかめに入れ**」**て発酵させる塩辛が、各地の漁村でつくられていた、**とある。庶民は海藻や大根菜などを食べるときには塩辛を味噌のかわりにつかっていた。また、塩辛をすりつぶして水に溶かし、それを漉《こ》した汁で貝を煮て食べるという、じつにうまそうなつかいかたもしていた。

味噌は中世以降、庶民にも広く普及したが、醤油の場合、江戸時代に普及したといっても、それは江戸や京都・大坂など都市部の話だった。田舎では味噌味が基本で、醤油をつかう料理は、婚礼や正月などハレの日にかぎられていた。そんな田舎の農漁村で、醤油のかわりにつかわれたのが、魚醤だったのだ。

しかし、明治になって、だれでも醤油が買える時代がくると、次第に魚醤は姿を消していったのである。

11 世界でもめずらしい黒酢の製法とは？

酢はお産の気付けにつかわれた

◆なますは生魚の切り身を酢で食べたから

酢は、塩と同じくらい古い調味料だ。米を原料にした酒に酢酸菌《さくさんきん》がまざって、アルコールが酢酸に変化して酢になる。

鹿児島県の黒酢《くろず》は、壺のなかに蒸し米と米麹《こめこうじ》を入れ、地下水で仕込む。糖化、アルコール発酵、酢酸発酵を自然に進行させる製法は世界でもめずらしいという。発酵したあと、半年から三年の熟成をへた黒酢はアミノ酸が豊富で味わい深い。桜島をのぞむ高台に黒い壺がずらりとならぶ光景は壮観だ。

酢をつかった和食といえば、やはり酢の物だろうか。タコにワカメにキュウリ、山形県の秋の郷土料理「もってのほか（食用菊）」の酢の物もいける。お節《せち》料理のダイコンとニンジンのなますも、箸休めにちょうどいい。

なますは漢字で書けば「膾」。「なま」は「生」で、「す」は「酢」のことだ。膾はもともと、生魚を細く切って酢で食べる料理だった。時代劇で悪党が「なますに刻んでやる」などと叫ぶのは、千切りにした生魚に見立てたセリフだ。

酢の産地としては、和泉《いずみ》（大阪府南西部）、摂津《せっつ》（大阪府北西部・兵庫県南東部）、兵庫が有名で、相模《さがみ》（北東部以外の神奈川県）や駿河《するが》（静岡県中部・北東部）にも名酢《めいさく》がある、と江戸中期の百科事典『和漢三才図会《わかんさんさいずえ》』（正徳《しょうとく》二年＝１７１２）は紹介している。

文政《ぶんせい》（１８１８〜２９）のころには、すでにさまざまな原料の酢が醸造されていた。米をはじめとして、梅、橙《だいだい》、柚子《ゆず》、橘《たちばな》などで、ほとんど木になる実を使うので「木酢《きず》」とよんでいた。売値は茶碗一杯三文と安い。酢は調味料以外にも、産婦の気付けにつかわれたりした。焼け石に酢をかけて、「気」を漂わせたのだ。

忘れてならないのが、寿司だろう。**酢が寿司につかわれはじめたのは江戸時代後期の文化年間《ぶんか》（１８０４〜１７）だ。尾張地方で酒粕を原料にした粕酢《かすず》をまぜたのが最初といわれる。**もともと、寿司は発酵食品で、すっぱい食べ物だった。自然にできる酸味を、酢で代用したのである（52ページ参照）。

やがて、江戸でにぎり寿司が創案され、和食の花形にのしあがっていくのだ。

和食こぼればなし

『本朝食鑑』と『守貞謾稿』

本書では、『本朝食鑑《ほんちょうしょっかん》』と『守貞謾稿《もりさだまんこう》』をたびたび参考にしている。どんな本なのかをご紹介しよう。

『本朝食鑑』は、江戸時代前期を代表する料理書で、元禄《げんろく》十年（1697）に医師の人見必大《ひとみひつだい》が書いた。全十二巻で、中国の文献と日本の食材を比較しながら、食材ごとに分類して解説している。世の中が落ち着いてきた元禄時代の食生活を知る格好の史料だ。

『守貞謾稿』は、ずっと時代が下って幕末に書かれた。著者は喜田川守貞《きたがわもりさだ》という大坂生まれの商人で、天保《てんぽう》十一年（1840）、三十一歳のときに江戸の北川屋という砂糖問屋の養子になった。守貞の観察眼は非常に緻密で、食べ物だけでなく、さまざまな江戸の商売や風俗を絵入りで解説している。実際の見聞にもとづく京都・大坂と江戸との比較は説得力があり、時代考証には欠かせない。

CHAPTER

2

「寿司・天ぷら」の謎

だれもが愛する和食の定番

12

にぎり寿司以前の寿司のかたちとは？

さまざまな郷土寿司

◆寿司と鮨と鮓、どれが正しい？

和食で、いちばんのごちそうといったら、寿司をあげる人は多いのではないだろうか。たとえ「回っている寿司」でも、大トロやウニの軍艦巻を食べれば、「ちょっと贅沢《ぜいたく》したな」と思えてくる。

ただし、ひとこと「寿司」といった場合、それがにぎり寿司だけをさすわけではないのは、ご存じのとおりだ。ちらし寿司や太巻きはもちろん、大阪の箱寿司、京都の鯖《さば》寿司や奈良・和歌山の柿の葉寿司をはじめ、全国各地に郷土色豊かな寿司がある。

寿司とはなにかといえば、もともとは**「塩と米で魚を発酵させた保存食」で、「ナレズシ」とよばれる。**これに対して、にぎり寿司は、発酵させるかわりに、ご飯に酢を加えて、**発酵の手間と時間を省いた「早ずし」だ。**共通しているのは「すっぱい」こと。そして、「すし」の語源は「酸し」というのが有力な説なのだ。

ここでは「寿司」と表記しているけれど、ほかに「鮨」や「鮓」とも書く。このなかでもっとも古いのは「鮓」で、漢字のふるさと中国の後漢時代、三世紀に編まれた漢字字典『説文解字《せつもんかいじ》』にでている。鮓は「塩と米で醸《かも》した漬け物」で、魚偏《さかなへん》だから、おもに魚肉をつかったことがわかる。じつは「鮨」のほうがもっと古く、紀元前の字典『璽雅《じが》』にでてくるのだが、意味は「魚の塩辛」だから、まったく別物だ。

鮓と鮨が混同されたまま日本に伝わり、奈良時代の正倉院文書や平城京から出土した木簡《もっかん》に「鮑《あわび》鮓」「堅魚《かつお》鮨」などが登場する。**「寿司」は、縁起をかついだ当て字**で、つかわれるようになったのは明治時代以降のことだ。

琵琶湖の鮒《ふな》寿司のように、ご飯のなかに魚介類をいれて発酵させるものを「鮓」、魚の腹にご飯をつめるものを「鮨」と書いたという説もあるが、厳密に区別されていたとは考えられない。つまり、今の世の中で「すし」をどう表記するかは「お好みでどうぞ」というわけだ。

「酒ずし」「ばらずし」「バッテラ」

食通として知られた作家・開高健の『新しい天体』は、ちょっと変わった「食べ歩き」小説だ。主人公は「相対的景気調査官」に任命された役人で、予算消化のために大阪・道頓堀《どうとんぼり》の土手焼き、松江の白魚《しらうお》の踊り食い、羅臼《らうす》の炉端《ろばた》焼き、松阪《まつさか》の松阪牛《うし》、高知のカツオなど、各地のうまいものを食べまくる。ちなみに、「新しい天体」とは「新しいご馳走の発見は人類の幸福にとって天体の発見以上のものである」という、フランスの美食家ブリア・サヴァランの『美味礼讃《びみらいさん》』（１８２５年）の一節からとっている。

小説とはいうものの、登場する料理は、開高健自身が実際に食べ歩いたものだ。なかでも、鹿児島の「酒ずし」が印象にのこる。

桶にニンジン、シイタケ、カンピョウやつけ揚げ（さつま揚げ）などの具とご飯を交互に重ねていく。最後に錦糸玉子や酢じめの鯛《たい》や茹《ゆ》でたエビなどをのせるところは、五目寿司に似ているが、ちがうのは、酢ではなく酒をつかうことだ。具とご飯を重ねるたびに、「灰持酒《あくもちざけ》」とよばれるみりんに似た地酒をふりかけ、落としぶたをして軽く押して数時間。完成した「酒ずし」は、寿司というより、**五目ずしの「お酒漬け」のようなもの**といってもいいだろう。

酢のかわりに酒をつかう寿司はめずらしく、昔は家庭料理だったが、いまは鹿児島市内の郷土料理の店で、食べやすくアレンジしたものが供される。

郷土寿司といえば、岡山の「ばらずし」も代表格のひとつだ。「祭りずし」ともよばれ、駅弁にもなっている。

具はニンジン、シイタケ、カンピョウなどの甘煮、サワラやイカ、エビ、アナゴなど瀬戸内の海の幸に錦糸玉子、キヌサヤ、紅ショウガが彩りをそえる。

江戸時代前期、岡山藩主の池田《いけだ》光政《みつまさ》が質素倹約を打ち出して、「食事はすべて一汁一菜」のお触れを出した。領民たちは、せめて祭りの日だけはおかずを増やせないものかと訴えたが、聞き入れてもらえない。そこで、酢飯のなかに豪勢な山海の珍味をまぜこみ、**「これで、おかずはひとつだけ」と開き直った、**というのが、ばらずし誕生の言い伝えだ。

大阪の「バッテラ」は、サバをつかった押し寿司の代表格だが、もともとはサバではなかった。明治時代、大阪は南船場《みなみせんば》、順慶町《じゅんけ(い)まち》の「鮓常《すしつね》」という店で、安いコノシロの半身をつかった寿司をはじめた。酢飯は魚にあわせた形になっていたので、それをみた客が、ポルトガル語でボートを意味する「バッテイラ」に似ているといったのがはじまり、といわれている。つまり、**元祖バッテラは四角ではなかった**のだ。

13

本能寺の変の原因は鮒寿司だった？

信長の怒りをかった？ 琵琶湖の珍味

◆徳川家康をもてなした山海の珍味料理

天正《てんしょう》十年（1582）六月二日、織田信長《おだのぶなが》は、明智光秀《あけちみつひで》の襲撃を受けて自害した。ご存じ、本能寺の変だ。なぜ光秀が主君を裏切ったのかについては、野望説や朝廷黒幕説など、さまざまな説がある。

そのなかで、いちばん単純でわかりやすいのが、信長に対して個人的な恨みをもっていた、という怨恨《えんこん》説だ。「きんかん頭」とあだ名をつけられ、なにかにつけて罵倒《ばとう》された光秀が、ついに怒りを爆発させたというのだ。

とくに注目されるのが、**本能寺の変のおよそ半月前に起きた「徳川家康《とくがわいえやす》接待事件」**である。甲斐《かい》国（山梨県）の武田勝頼《たけだかつより》を滅ぼした信長は、家康に駿河《するが》国（静岡県中部・北東部）と遠江《とおとうみ》国（静岡県西部）を与えた。その謝礼と戦勝祝賀をかねて、家康が安土《あづち》城の信長を訪ねることになり、その饗応役を光秀がおおせつかった。光秀は、自腹を切ってめずらしい食材を集め、おもてなしの料理を出すことにした。しかし、**光秀は突然解任されてしまう。**

そのメニューが、塙保己一《はなわほきいち》編『続群書類従《しょくぐんしょるいじゅう》』に「天正十年安土御献立」と題して収録されている。太田牛一《おおたぎゅういち》の『信長公記《しんちょうこうき》』によれば、家康が滞在したのは三日間だが、献立は、家康が到着した五月十五日と翌十六日の二日間のみだ。当時は朝と晩の一日二食だったから、計四回の接待料理の数々が列記されている。

問題は、「十五日をちつき」の見出しがついた、家康到着時に最初に出された料理だ。以下、引用してみよう（カッコ内は引用者注）。

●本膳

皮を取った蛸《たこ》／鯛《たい》の焼き物／菜汁／鯉《こい》のなます／香《こう》の物（味噌漬）／鮒《ふな》の鮨《すし》／飯

●二膳

うるか（鮎《あゆ》の内臓の塩辛）／宇治丸（鰻《うなぎ》を丸のままあぶって切り、醤油と酒、または山椒《さんしょう》味噌をつけたもの。鰻の鮨とも）／ホヤ冷や汁／太煮（干しナマコに芋を入れて味噌煮にしたもの）／鮑《あわび》／ハモ／鯉の汁

●三膳

やきとり（キジ）／山芋の蔓《つる》（鶴？）汁／かさめ（ワタリガニ）／ニシ（巻き貝の一種）／鱸《すずき》汁

●よ（四）膳

巻スルメ／鴫《しぎ》つぼ（ナスをくりぬいて鴫肉をつめたもの）／鮒汁／しいたけ

●五膳

まな鰹《かつお》刺身／生姜《しょうが》酢（刺身用）／ごぼう／鴨《かも》汁／削り昆布《こんぶ》

●菓子

やうひもち（不明）／豆飴／美濃柿／花煮昆布／から花（造花）

◆◆はじめての人は驚く鮒寿司の個性

「鯛の焼き物」はおそらく尾頭つきで、めでたい席につきものなのは、いまと変わらない。「やきとり」や「まな鰹刺身」もうまそうだ。

ただし、この献立のなかに「？」つきの料理がある。「鮒の鮨」だ。

鮒寿司といえば、琵琶湖の名物。安土城は琵琶湖のほとりに建っていたから、まさにご当地の名物料理なわけだが、これほど好みの分かれるものはない。

鮒寿司は『延喜式《えんぎしき》』に材料のフナが税金として朝廷におさめられた記述があり、**古い歴史を誇るナレズシの代表格**だ。つくり方は次のとおり。

フナは卵を抱いたメスを春に獲って、ワタを取り除く。このとき、腹を開かず、エラから指を押し込んで搔《か》き出すツボダシという技法を使う。塩漬けにし、初夏になってから水にさらして塩抜きする。炊いたご飯を冷まして、フナのエラから詰め込み、ご飯を敷いた桶に背中を下向きにして並べていく。半年から数年、漬ければ完成だ。

ベトベトになったご飯を取り除いて筒切りにした鮒寿司は、オレンジ色の卵がぎっしりと詰まっていて、はじめての人は「これが寿司？」ととまどうだろう。もっと驚くのは、その臭《にお》いだ。しかし、食べてみれば、まるで**チーズのような複雑な味わい**がクセになる。お茶漬けにしても風味がいい。

ただし、納豆やクサヤと同じで、この臭いが苦手という人も多いのは事実だ。尾張《おわり》出身の信長、三河《みかわ》出身の家康が、この臭いを受け入れたのか。俗説では、**信長が料理を食べて「臭《くさ》い」と怒り、光秀を殴った**ともいう。饗応役解任の理由は、対毛利中国筋への出陣準備のためだったようだが、鮒寿司と同じく好みの分かれる「ホヤ冷や汁」もあるし、光秀が選んだメニューは、ちょっと奇をてらいすぎたのではないだろうか。

14

にぎり寿司の元祖は華屋与兵衛か？

寿司職人は妖術つかいといわれた

◆◆どちらが元祖でどちらが本家か？

江戸前のにぎり寿司は、江戸時代後期、文化文政《ぶんかぶんせい》（1804～29）のころに、生まれたといわれる。

発酵させるのではなく、ご飯に酢をまぜて酢飯にし、刺身をのせて握るだけ。すぐにできるから「早ずし」とよばれ、**手軽に食べられる江戸のファストフードとして、たちまち人気を博した。**その発明者といわれるのが、和食ファミレスチェーンの店名（といってもまったく無関係）にもなっている「華屋与兵衛《はなやよへえ》」だ。

江戸・福井藩邸出入りの八百屋の息子で、祖先は福井藩の下級武士だったといわれる。古道具屋や菓子屋など、転々と職を変えたのち、本所横網町《ほんじょよこあみちょう》（墨田区）に住んでいたころ、にぎり寿司を考案。毎夜、松井町（墨田区）あたりの岡場所（非公認の遊廓《ゆうかく》）で、夜明けまで寿司を売り歩き、資金を貯めると、両国尾上町（墨田区）回向院《えこういん》前に華屋の屋号で「与兵衛鮓《すし》」の店を開いた。たちまち人気となり、武家屋敷からも注文が入るほどだった、というのが、元祖にぎり寿司の誕生物語だ。

ところが、にぎり寿司の元祖は華屋与兵衛ではない、という説もある。喜多村信節《きたむらのぶよ》（筠庭《いんてい》）の随筆『嬉遊笑覧《きゆうしょうらん》』（天保《てんぽう》元年＝1830）に、「文化のはじめ頃深川六間ぼりに松ヶ鮓出きて世上すしの風一変し」たとあって、この「松ヶ鮓」のほうが早いというのだ。

「松ヶ鮓」の屋号は、本来は「いさごずし」だったが、店主の名が松五郎だったので、深川《ふかがわ》安宅町《あたけちょう》（江東区）の御船蔵前町《おふなくらまえちょう》にあった店は「安宅の松がすし」ともよばれた。また、「松公《まつこう》」といえば江戸っ子にはおなじみの通り名だったという。「おしのきく人は松公と　与兵衛なり」という川柳があるほどで、与兵衛鮓と松ヶ鮓は、どちらも有名店だった。「おしのきく」ということは、与兵衛鮓でも押し寿司を売っていたのかもしれない。元祖と本家、どちらが先かといわれても困るように、この二つの説のどちらにも軍配をあげかねるのが正直なところだ。

ともあれ、にぎり寿司は江戸庶民に大歓迎された。「妖術と　いふ身で握る　鮨の飯」という川柳がある。**妖術つかいが握る印形《いんぎょう》と職人の手つきが似ている**というわけだ。

15

にぎり寿司はなぜ高級品になったのか?

庶民の味から和食の代表選手に

一朱金入りの寿司で宣伝

江戸の寿司は、いまのように目の前で握るのではなく、屋台の店主があらかじめ握って、付け台にならべてあった。客は、ふらりと立ち寄って、二つ三つつまんで、さっと帰る。このあたりの風情を江戸っ子は粋《いき》ととらえた。

ひとつの値段は、『守貞謾稿《もりさだまんこう》』によれば、八文。安いものでは四文だった。もりでもかけでもそばが一杯十六文だから、いまでいえば、百円から二百円といったところだろうか。「一皿百円にくらべれば少し高いかも」と思われるかもしれないが、**当時のにぎり寿司は、おにぎりなみの大きさ**だったので、いまの回転寿司の値段とほぼ同じ感覚といっていいだろう。

大きくて食べにくいから二つに切るようになり、これがいまの「二貫《かん》付け」、つまり、一回の注文で二個でてくるようになった由来だという説もあるが、いささかあやしい。

ともあれ、にぎり寿司は**庶民の味として、その後も親しまれた。**

そのいっぽうで、値段が張る高級店も登場する。にぎり寿司の元祖説もある「松ヶ鮓《すし》」（61ページ参照）はその筆頭で、もとはサバ、アジ、タイなどの丸漬けが名物だった。丸漬けとはつまり、姿寿司のことで、値段はかなり高い。にぎり寿司をはじめたあとも、高級路線をエスカレートさせ、方外道人《ほうがいどうじん》の狂詩本『江戸名物詩』（天保《てんぽう》七年＝１８３６）で「卵は金、魚は水晶のごとく」と表現されるほどだった。

店主の松五郎は商売上手で、宣伝のために「当店手製の寿司でございます」とほうぼうに配った。「つまらないものなので、なにか歯にあたることもありますから、お気をつけを」と付け加えたのは、**酢飯のなかに一朱金をもぐりこませていたから**だ。一朱金は一両の十六分の一で、いまなら五千円程度。まるで「おぬしもワルよのう」の世界だが、町人文化が花開いた文化文政《ぶんかぶんせい》期（１８０４～２９）の金持ちには大いにうけたようだ。

やがて、「松ヶ鮓」の**高級路線に便乗する店が続出し、庶民派の屋台と二極分化する。**銀座の高級店と回転寿司・スーパーのパック寿司が共存しているようなものだ。

よく、寿司は手でつまんで食べるのが正しいなどというが、江戸時代でも、高級店では箸で食べたので、どちらが正しいとはいえない。

高級路線は、老中・水野忠邦《みずのただくに》が断行した過激な天保《てんぽう》の改革（1830〜43）で打撃をうける。高級寿司の業者二百余人が捕らえられて、手鎖《てぐさり》の刑に処せられたのだ。この騒動で、**高級路線は下火になり、屋台庶民派が主流となる。**

ところが、天保の改革が失敗に終わると、座敷で食べさせる高級路線は息をふきかえし、その後も続いて、現在にいたっている。

◆全国に広がった江戸前にぎり寿司

近現代になって、**打撃をうけたのは、屋台庶民派のほうだ。**

屋台は「交通の妨げになり、しかも衛生面で問題がある」として規制され、大正時代以後、都市部から姿を消していく。「屋台がだめなら固定店舗があるじゃないか」と、新手の商売に転じる者もいた。座敷で食べさせる高級店と屋台の中間のような、小体《こてい》な店があらわれる。いまの寿司店のスタイルと同じく、**屋台と同じ付け台があるカウンターと小上がりの座敷が併設された店が、増えていった。**

その後、大正十二年（1923）に起きた関東大震災で多くの寿司職人が焼け出され、地方へ移り住んでいく。こうして**「江戸前」を称する寿司店が地方にも広がっていった。**

終戦直後、寿司業界は最大の危機を迎える。

食糧難から、すべての飲食業が営業を禁止され、配給制が徹底されたのだ。「このままでは滅んでしまう」と知恵を絞った東京の寿司組合は、一合の米と引き換えににぎり寿司十個を渡す方式にするから許可してくれと訴えた。これなら、飲食業ではなく「委託加工業」だからいいじゃないか、という理屈である。訴えは認められ、一人前は十個、一個の大きさは米一勺《しゃく》（約18ミリリットル）に統一されて存続することになった。**一人前の数や大きさの基準は、いまでも踏襲されている。**ちなみに、寿司の数え方を一般に「貫《かん》」というが、江戸時代から明治大正昭和にかけて、文献上はまったくみあたらず、どうしてそうよぶようになったかは、まったくの謎だ。

庶民派の代表・回転寿司の元祖は、昭和三十三年（1958）、大阪府東大阪市の近鉄布施駅前に開店した「元禄寿司」で、昭和四十三年には宮城県仙台市で二号店が営業をはじめ、その後、全国に展開するきっかけとなっている。

16

稲荷寿司の中身ははじめはオカラ?

なぜ「お稲荷さん」とよばれるのか

稲荷寿司とキツネの関係

日本でいちばん多い神社は、稲荷《いなり》神社だ。江戸時代には、「伊勢屋、稲荷に犬の糞《くそ》」といわれたほどで、町の辻にはかならずといっていいほど、稲荷神社があった。ほかのふたつは、上方《かみがた》からきた伊勢商人が多かったからだし、当時は、野良犬が多かったからだ。

稲荷神社の総本宮・京都の伏見稲荷大社は、いまや外国人の人気ナンバーワン観光地に君臨している。では、稲荷神社と稲荷寿司はどういう関係にあるのだろうか。

「稲荷」は、もともとは「稲生《いなり》」の意味で、**稲作の神だった**。のちに仏教とむすびつき、荼枳尼天《だきにてん》の使いだった**キツネを「お稲荷さん」とよぶようになる**。

稲荷神社には、お神酒《みき》や赤飯などが供えられたが、次第にキツネの好物とされる豆腐の油揚げが加わった。そこで、**油揚げを「お稲荷さん」とよぶようになった**のだ。

江戸時代後期のころからといわれる。

稲荷寿司が登場したのも、そのころだ。『守貞謾稿《もりさだまんこう》』には、天保《てんぽう》年間（1830～43）、江戸ではキクラゲやカンピョウを刻んで酢飯に混ぜ、油揚げの袋に詰めて寿司として売り歩いていた、とある。東京の稲荷寿司といえば、酢飯だけで、具を混ぜるのは関西方面の特徴といわれているが、江戸時代はそうでもなかったわけだ。

昼夜を問わず売っていたが、本番は夜。「稲荷鮨《すし》」とか「信田鮨《しのだ》」と書いた行灯《あんどん》が目印の屋台で、一個八文（二百円）だった。屋台のにぎり寿司と同じく手軽な食べ物だったので、一杯やった帰りに小腹を満たす酔客もいたことだろう。

稲荷寿司の別名「信田鮨」には、安倍晴明《あべのせいめい》にまつわる伝説がある。

その昔、和泉《いずみ》国信太《しのだ》村（大阪府和泉市）の森で、安倍保名《やすな》という猟師が一匹の白ギツネを助けた。しばらくして保名が大怪我をしたところに葛《くず》の葉と名乗る女があらわれ、保名を介抱したことから、ふたりは夫婦となり、童子丸（のちの晴明）という子が生まれる。やがて、自分の正体が白ギツネだと夫に知られた葛の葉は、保名と五歳の童子丸を残して信太の森に帰っていく。

この「葛の葉伝説」は、のちに人形浄瑠璃《にんぎょうじょうるり》や歌舞伎の演目にもなった。信田鮨は、

油揚げ→キツネ→信太（信田）という連想から名づけられたわけだ。東京の日本橋人形町にある稲荷寿司の名店「志乃多《しのだ》寿司」の名も、もちろんここからきている。

◆「役立たず」を有効利用

江戸時代の落首《らくしゅ》（世相風刺の匿名《とくめい》の戯《ざ》れ歌）に「伊豆まめは　豆腐にしてはよけれども　役に立たずは　雪花菜《きらず》なりけり」というのがある。

「伊豆」とは「知恵伊豆」こと松平伊豆守信綱《まつだいらいずのかみのぶつな》のこと。「雪花菜」はオカラのことだ。信綱は頭が切れる人物として評判が高かったが、そのいっぽうで、理屈優先で情にとぼしいともいわれた。三代将軍・徳川家光《とくがわいえみつ》の幼友達だったので権勢をふるったが、その家光が慶安《けいあん》四年（１６５１）に死去したとき、殉死《じゅんし》しなかった。当時はまだ、四代将軍・家綱《いえつな》の時代に武家諸法度《ぶけしょはっと》で殉死が禁止される前で、主君の死に殉ずるのが慣例だったのだ。しかし、信綱は切腹しなかった。それを切らなくとも食べられるオカラになぞらえて皮肉ったのが、この落首というわけだ。

なぜこんな話を長々としたかというと、この落首に出てくる「雪花菜」、つまりオカラが、「役立たず」とされているところに注目していただきたいからだ。現在、豆乳のしぼりかすであるオカラは、ほとんどが産業廃棄物として処理されているが、**江戸時代も、役立たずで捨てるものだった。**

ところが、稲荷寿司は、はじめはその**オカラを油揚げで包んだものだったのだ。**稲荷寿司は酢飯がはいったものでも、あまり上等な食べ物とは考えられていなかったので、中身がオカラでは、さらに安物感が増す。

石塚豊芥子《いしづかほうかいし》『近世商賈尽《きんせいしょうばいづくし》狂《きょう》歌《か》合《あわせ》』（嘉永《かえい》五年＝1852）に、オカラ入りの稲荷寿司が生まれたのは天保《てんぽう》の飢饉《ききん》のときだとある。

つまり、米不足だからこそ、オカラをつかうしかなかったのだ。この本には、稲荷寿司が登場すると、それに対抗して「狸《たぬき》鮨」が売り出されたが、まもなく消えてしまった、とある。なんの皮で包んだのだろうか。もしかしたら、たぬきそばさながら揚げ玉をまぶした「天むす」の元祖のようなものだったかもしれないが、いまとなってはまったく不明だ。

江戸時代の稲荷寿司売り。のぼりにキツネの絵が描かれている（『近世商賈尽狂歌合』国立国会図書館蔵）

17

天ぷらはもともと「さつま揚げ」のことだった?

語源はなにか

◆外来語か山東京伝の命名か

関東では、天ぷらといえば、衣をつけて揚げたものを指すが、西日本では、魚介の練り物を揚げた「さつま揚げ」のことをそうよぶ場合が多い。鹿児島（薩摩《さつま》）では、土産物や通販なら商品名は「さつま揚げ」でも、町なかで売っているものは「つけ揚げ」か「天ぷら」だ。

愛媛名物の「じゃこ天」は、雑魚（じゃこ）のすり身を揚げた天ぷらのことだ。立ち食い店でも味わえる揚げたてのじゃこ天うどんは、熱々で、噛《か》みしめるとシャリシャリした食感がたまらない。

天ぷらの語源で有力視されているのが、**ポルトガル語で調理を意味する「Tempero」**、**スペイン語で「天上の日」を意味する「Temporo」**だ。『日本語源大

辞典』（前田富祺監修・小学館）によれば、「天上の日」はキリスト教の祭日で、「この日は獣鶏肉を食わないで、魚肉・鶏卵を食したところから、魚料理の名となったものか」と『大言海』の説を引いている。

宣教師たちは、魚のすり身を素揚げにして信者にも食べさせた。その調理法が伝わって、「つけ揚げ」が「天ぷら」とよばれるようになったというわけだ。

もうひとつ、よくいわれるのは、江戸時代の戯作者・山東京伝《さんとうきょうでん》が命名者だという説だ。京伝の弟・山東京山《きょうざん》が書いた随筆『蜘蛛《くも》の糸巻《いとまき》』に、いきさつが書いてある。

ある日、京伝の近所に関西から和介、お花という若いふたり連れが駆け落ちしてきた。ところが和介は京伝の家に入りびたってブラブラするばかり。見かねた京伝が意見すると、和介は「つけ揚げの屋台でもやりまひょか」と答える。つけ揚げが上方《かみがた》で流行《はや》りの食べ物だと知った京伝は、ちょっと思案して筆をとり、「天麩羅」と書いた紙を見せた。当時は**関西から流れてきた浪人者を天竺《てんじく》浪人とよんでおり、その「天」と小麦粉の「麩」、薄い衣を意味する「羅」の三文字を組み合わせた**というわけだ。

和介は京山に頼んで屋台の行灯《あんどん》に「天麩羅」と書いてもらって商売をはじめ、やがて江戸中に天麩羅が広まった、というのだが、ちょっとできすぎの話にも思える。

18

天ぷらの調理法はいつ生まれたか？

家康が食べた鯛の天ぷらの正体は

天ぷら調理法を記した茶会の記録

平成二十七年九月二十六日付の『中日新聞』夕刊に興味深い記事が載った。

名古屋に拠点を置く茶道松尾流の流祖、楽只斎《らくしさい》松尾宗二《そうじ》が江戸時代の**正徳《しょうとく》三年（1713）に記した茶会記録のなかに、「天ぷらの料理法」の記述がみつかった**というものだ。発見したのは、茶道史研究家の神津朝夫氏で、京都に住んでいた楽只斎が招かれた尾張での茶会の出席者や茶道具、料理の品書きを記録した「正徳三年茶会記」のなかに「平皿　てんふらりやうり　生鯛《たい》ニうとんのこ付あふら上ケ」と書いてある。

「天ぷら料理というものがでた。**生の鯛にうどん粉をつけて、油で揚げたもの**」というわけで、かなり具体的だ。神津氏は「めずらしく調理法まで書いたのは、はじめて食べたからだろう」と語っている。

「天ぷら」という言葉がはじめて文献に登場するのは、寛文《かんぶん》九年（1669）の『料理食道記』で、調理法を説明したものとしては、寛延《かんえん》元年（1748）の料理本『歌《か》仙《せん》の組糸《くみいと》』が最初とされ、「天ぷらはどんな魚でも、うどん粉をまぶして油で揚げる」とある。調理法の説明は「茶会記」とほとんど同じだ。つまり、今回の発見は、通説よりも三十五年前の記録に天ぷらのレシピが書いてあったことを物語っているわけだ。

　ただ、楽只斎の記録だけでは、**「うどん粉」を粉の状態でつけたのか、水に溶いてつけたのか**がはっきりしない。生の魚に水で溶いた小麦粉をつけて揚げれば、それはフリッター、つまり、から揚げだ。

　70ページで説明したように、戦国時代以降、さかんに来航したスペイン・ポルトガルの宣教師たちは、カトリックの祭日に魚の料理を食べた。**天ぷらの語源が、キリスト教の祭日料理だとしたら、フリッターもまた、食べていたかもしれない。**

　徳川家康《とくがわいえやす》の死因は、「鯛の天ぷら」の食べすぎだったという説がある。京都の商人・茶屋四郎次郎《ちゃやしろうじろう》にすすめられて食べた鯛の天ぷらに感激した家康は、それ以降、大好物にしていたという。はたしてそれが、すり身を揚げた「さつま揚げ」だったのか、それとも、西洋風天ぷらのフリッターだったのか。いまも謎のままだ。

19

江戸時代の天ぷらは串揚げだった？

ひと串四文のファストフード

◆油っこくても人気だった

喜多村信節《きたむらのぶよ》（筠庭《いんてい》）の随筆『嬉遊笑覧《きゆうしょうらん》』（天保《てんぽう》元年＝1830）によると、日本橋で屋台を開いていた吉兵衛という男が、庶民向けの天ぷらを考案したという。その当時は、**魚の切り身を串に刺して、衣《ころも》をつけて揚げていた。**これがヒットした。屋台で売るわけだから、串があったほうが立ち食いには便利だからだ。大阪名物串カツのようなものだ。

ネタは、アナゴ、シバエビ、コハダ、貝柱、スルメなどで、ゆるく溶いたうどん粉を衣にして、油で揚げる。貝柱は、おもにアオヤギ（バカ貝）のもので、俗に小柱《こばしら》ともいう。かき揚げにすると、とくにうまい。

江戸時代の天ぷらは、いまとまったく同じ調理法だが、**当時は、薄力粉《はくりきこ》ではなく、「うどん粉」、つまり強力粉《きょうりきこ》だったし、油も質が悪かったので、ボッテリと厚ぼったた**

く油っこい衣だった。

そんな衣でおおわれた天ぷらは、一見してネタが何なのかわからない。注文をうけてから揚げるわけではなく、立ち食いそばのように、屋台で揚げたものをならべて売っていたから、みな同じようにみえる。

「揚物屋《あげものや》　是《これ》は何だに　聞き飽きる」という川柳は、そんな天ぷら屋台の情景をよく表現している。『守貞謾稿《もりさだまんこう》』によれば、江戸では魚介類を揚げたものを「天ぷら」、野菜は「揚げもの」と区別していたとあるが、この川柳をみるかぎり、商売そのものは「揚物屋」とよんでいたようだ。

揚物屋が「聞き飽きる」ほどだから、かなり繁昌したのだろう。ではいったいいくらだったのか。川柳に「衣《ころも》や薄き　片そぎの　二文揚げ」というのがあるので、**野菜の揚げ物の値段は二文だった**ことがわかる。

では、魚介類の天ぷら串はいくらだったのか。明確な史料はないが、ほかの屋台の食べ物とおなじ、四文だった可能性が高い。いまでいえば百円程度。江戸の庶民は、現代人がチェーン店のドーナツをつまむように、屋台で串揚げの天ぷらを食べていたわけだ。

◆熱々の串揚げをほおばった江戸庶民

家庭で天ぷらを揚げるのは、なかなか面倒な仕事だ。油は大量につかうし、うまく揚げられるとはかぎらない。油の後始末もやっかいだから、ついついスーパーの惣菜コーナーに足が向いてしまう。

いまでさえそうなのだから、江戸時代はなおさら、油で揚げる料理を家庭で、というわけにはいかなかった。**油売りから買う菜種油《なたねあぶら》は、食用というより灯火用で、**文《ぶん》化《か》五年（1808）の価格が一合四十一文、いまなら千円程度とかなり高い。そのため、長屋の住人たちはイワシなどを原料にした安い魚油をつかって行灯《あんどん》をともした。だから、多めの油で揚げる屋台の天ぷらは、たとえ粗悪でも、庶民にとってはありがたい食べ物だったわけだ。

天ぷら専門の料理茶屋があらわれたのは幕末で、それまでは屋台が主だった。理由は、屋内で油を熱すると火事になりやすいからだ。その点、**屋台は燃えても被害が少ない。**両国橋のたもとなどの盛り場には、天ぷらをはじめとした屋台がならび、人々は熱々の串揚げ天ぷらをほおばったのである。

天ぷらの屋台(鍬形蕙斎画『職人尽絵詞』〈部分〉国立国会図書館蔵)。文化二年(1805)に描かれたもので、女性や子どもが気軽に買っていたようすがわかる

和食こぼればなし

包丁とまな板の謎

「包丁《ほうちょう》」という言葉の語源は、中国の古典『荘子《そうし》』養生主篇《ようじょうしゅ》に出てくる名料理人の名前だ。紀元前五～前三世紀の戦国時代、魏《ぎ》の恵王《けいおう》（文恵君《ぶんけいくん》）の前で料理人の庖丁《ほうてい》は一頭の牛をみごとにさばいた。腕前を称賛されると、庖丁は十九年間つかい続けている牛刀を置いて、自分がたどり着いた境地を説明し、恵王は、その話から処世の奥義を悟る。この話が伝わるにつれて、いつしか牛刀のことが包丁とよばれるようになり、料理する人を包丁人とよぶようになった。

「まな板」は「真魚板」とか「俎」と書く。「まな」は魚を意味する梵語《ぼんご》（サンスクリット）が語源とする説が有力で、「魚を切る板」という意味だ。「俎」のほうは中国の『史記《しき》』にも出てくる漢字で、字義は「肉を切る台」である。江戸時代のまな板は、下駄のような足がついており、かまぼこのように湾曲した古式のものも、まだつかわれていたようだ。

CHAPTER 3

「刺身・煮魚・焼き魚」の謎

海の幸を味わう多彩な料理法

20 刺身にワサビをつけるのはなぜ？

江戸時代は辛子味噌をつけていた

刺身は庶民の味だった

みなさんは、刺身を食べるとき、ワサビをどうするだろうか。

醤油の小皿の端にのせたり、あるいは全部溶いてしまったり。ワサビは少量を刺身にのせて食べるのが正しく、醤油に溶くのは下品、というのが、和食のテーブルマナーらしい。アジやイワシ、カツオなどは生姜《しょうが》醤油だったり、フグ刺しはポン酢と紅葉《もみじ》おろしにかぎるというむきもあるが、タイやヒラメ、マグロにブリの刺身とくれば、ワサビとの相性は抜群だ。

刺身という言葉は、江戸時代からあった。

はじめは「指身」とか「差身」と書いたようで『和漢三才図会《わかんさんさいずえ》』には「左之美」とある。武家社会では**「切る」は忌《い》み言葉**なので、**魚の肉を薄く切ることを「つくる」といった。細く切れば「膾《なます》」になる。大きく切ったものを「刺身」とよんだ。**現在で

も、刺身を「お造り」とよぶルーツはここにある。

刺身が普及したのは、江戸時代の中ごろ以降なのだが、いまのような高級なイメージはなかった。そもそも、武士や大店《おおだな》の商人たちは生の魚を食べなかった。いまとちがって流通が発達していないから、鮮度を保つのがむずかしかったこともあるからだ。上級武士や商家の主人は、そもそもあまり外食しなかったので、食べる機会もなかったのだ。ちなみに、高禄の武士も出入りする本格的な料理茶屋ができるのは、江戸時代後期のことだ。

刺身を食べたのは、むしろ庶民のほうだ。ただし、江戸時代の中期ごろまではカツオ・ヒラメ・フグだけで、ほかの魚を刺身で食べることはなかった。

食べ方も、いまとはだいぶちがう。刺身といえば、醤油にワサビが一般的だろうが、江戸時代は、カツオの刺身に辛子味噌をつけて食べた。大きさは長さが二、三寸（6～9センチ）、幅が四、五分（1・2～1・5センチ）ほど、と『守貞謾稿《もりさだまんこう》』にある。

ワサビは、葉の形が徳川家の紋所《もんどころ》「三つ葉葵《あおい》」に似ているところから、幕府の直轄地である天領でしか栽培が許されなかった。そのため、ワサビは貴重品で、だから庶民は手軽に入手できる辛子味噌をつけて食べたのだ。

◆◆◆上方のほうが雑だった刺身の盛りつけ

江戸と上方《かみがた》では、盛りつけもちがった。**江戸時代の上方の刺身はタイだけで、「作り身」といって適当に切って乱れ盛りにするだけだった。**酢味噌かワサビ醤油をつけるのは、いまとあまりかわらない。いっぽう、**江戸の刺身は「斬目正しく（きれいに切って）」、「正列に盛る」のをよしとした。**洗練されたイメージがある京都・大坂だが、江戸時代は商人の町だったから、見てくれより、手軽に食べるほうを優先したのだろう。江戸は武士の町で、体面を重んじるから、見た目もきっちりしたものが好まれたのではなかろうか。

江戸では、マグロとタイの刺身を交互にならべて、紅白に盛りつけるのを「作り合わせ」とよんでいた。ただし、刺身は当時はあまり人気がなく、刺身を瓦《かわら》、ツマを雑草に見立てて、「まるであばら家のようだ」と敬遠する人もいた。

嘉永《かえい》年間（1848～53）になると、刺身人気は盛り上がる。安いし、滋養がつくと評判になったのだ。そうなると、商売にする者があらわれる。「刺身屋」といって、カツオやマグロの刺身を五十文から百文で売った。幕末はインフレが激しく鰻丼《うなどん》が三百文以上だったから、刺身はいまなら五百円から千円といったところだろうか。

料理茶屋にくらべれば切り方は雑だったが、ともかく安いのが庶民にうけた。**魚屋ならさまざまな種類を売り歩くが、刺身屋はカツオとマグロ一辺倒**でサバやコハダなどの光り物はもちろん、イカやタコもない。それでも繁昌したというから、いかに庶民に浸透していたかがわかる。

マグロ一本の値段は、大漁のときなら六百文ほど。大工の手間賃がおよそ四百文から五百文で、裏長屋の一ヶ月の店賃もそのくらいだったから、刺身屋は一本仕入れて売り切れば、けっこうなもうけになったわけだ。

上方(上)と江戸(下)の刺身の盛りつけのちがい(『守貞謾稿』〈部分〉国立国会図書館蔵)

21 刺身のツマにはどんな意味がある?

昔は添え物といった

◆京都・大坂の刺身のツマは質素だった

ある有名料亭の女将《おかみ》さんは、店の客が出世するかどうかを、ひと目でみぬいたという。みわけ方は「刺身のツマを全部食べるかどうか」。ツマは皿全体の彩りを豊かにする装飾だから、食べなくともかまわないわけだが、出世する人物は、そういうもったいないことはしない、ということらしい。

刺身に添えられるダイコンの千切りや海藻などを一般にツマとよぶ。辞書をひいてみると、漢字では「妻」または「夫」で、「具」とも書く、とある。主役である刺身を引き立てるために添えられる野菜や海藻の総称だが、ダイコンやニンジンの細切りを円錐状に立てたものは「剣」ともいう。

刺身が一般に食べられるようになった江戸時代にも、いまと同じようなツマが添えられていたが、あまり重視されてはいない。単に「**添え物**」とよんでいた。

『守貞謾稿《もりさだまんこう》』によれば、京都・大坂では添え物は糸切大根一種類のみのことが多い。江戸は三、四種類で、糸切大根、糸切うど、生紫海苔《なまむらさきのり》、生防風《ぼうふう》（セリ科の薬草。浜防風か）、姫蓼《ひめたで》などを使った。上等でない刺身は、黄菊《きぎく》、うご（海髪と書く紅色の海藻）、大根おろしが一般的だった。スーパーで売っているお買い得の刺身は、ダイコンの千切りを底に敷いて、黄色い菊が添えられていたりするから、江戸時代の伝統を受け継いでいることになる。

京都・大坂の添え物が一種類だけなのは、無用のもので飾りたてない合理精神からきているのだろうか。『守貞謾稿』の挿絵（83ページ参照）をみると、山型に盛られた糸切大根と杉の葉のような添え物が置いてある。

パックものの刺身や寿司の盛り合わせには、緑色のプラスチック片が仕切りに使われていることがある。これは**笹を模したものではなく、「バラン」といって、もとは葉蘭《はらん》という植物の葉をつかった添え物の一種**である。パリッとした大きな葉は細工に適していたが、戦後はプラスチックにとってかわられ、本物の葉蘭は高級店でしかお目にかかれなくなった。熊笹を切ったものは切り笹ともいう。

22

カツオのたたきは生食禁止令から生まれた？

江戸っ子の初ガツオ狂騒曲と水戸黄門の手料理

「初物を食べると七十五日長生きする」といわれた江戸時代。「たった七十五日か」と、つっこみたくもなるが、初物買いは見栄を張りたがる江戸っ子の一大イベントだった。

◆一本十五万円の初ガツオ

初ガツオに大金をかけた話はよく知られている。

江戸後期の戯作者・大田南畝《おおたなんぽ》が書いた『壬申掌記《じんしんしょうき》』によれば、文化《ぶんか》九年（1812）、四月の解禁日前に入荷したカツオ十七本のうち、六本が十一代将軍・徳川家斉《とくがわいえなり》に献上され、三本は高級料理茶屋の「八百善」が二両一分で買い取り、一本は歌舞伎役者の中村歌右衛門《なかむらうたえもん》が三両で買って、芝居小屋の仲間にふるまった、という。

また、天明《てんめい》（1781～88）のころ、渡辺松右衛門《わたなべまつえもん》という武士が、日本橋石町《こくちょう》の豪商・林治左衛門を訪ねたときに初ガツオをふるまわれ、治左衛門が手代に値段を聞くと「今日は安かったです。一本二両二分でした」と答えた、という話も伝わっている。江戸後期の一両の価値は、いまなら六万円ほどだから、そうとうな贅沢《ぜいたく》だ。

熱しやすく冷めやすいのが江戸っ子の常で、初ガツオ狂騒曲も、すぐにおさまる。**秋になって脂《あぶら》がのった戻りガツオが出回っても、二百文の値しかつかない。**およそ五千円ほどだ。初ガツオブームが過熱したのは天明期だけで、その後の文化文政《ぶんせい》（１８０４～２９）の世には価格を下げ、一本が二百文から二百五十文に落ち着いた。

カツオのたたきの起源は？

戦国時代に小田原城を本拠にした北条《ほうじょう》氏。その逸話を集めた江戸初期の『北条五代記』に次のような話が載っている。

天文《てんぶん》六年（１５３７）夏、今川義元《いまがわよしもと》との戦いに向かう船にカツオが飛び込んできた。北条氏綱《うじつな》は「戦《いくさ》に勝つ魚」だと喜んだ。その後の氏綱は連戦連勝、武蔵国（東京都・埼玉県・神奈川県北東部）を領有して、北条氏はますます勢力を拡大していった。以来、**北条軍の出陣の儀式には、かならず鰹節《かつおぶし》が引き出物にされた。**

最近はみないようだが、**結婚式の引き出物に縁起物として鰹節が贈られるのは、戦国時代の験担《げんかつ》ぎに由来している**のだ。

水戸黄門でおなじみ徳川光圀《とくがわみつくに》が隠居してからのこと。江戸から上使が来たので、隠居所の西山荘《せいざんそう》（茨城県常陸太田市）に招いて歓待した。ところが、台所にはだれもいない。光圀は、戸棚から銭をとりだして下男に命じて新鮮なカツオを買いにいかせた。そして、自分で調理して、刺身と汁をつくった、と『武林隠見録《ぶりんいんけんろく》』にある。

江戸時代のカツオの食べ方は、『本朝食鑑《ほんちょうしょっかん》』に「刺身によく、霜降り、なまりに作りてもよし。なまりは夏季の賞美たり。また鰹節、鰹医を製す」とあるように、刺身が一般的だった。なまりは生節（なまり節）の略で、三枚におろしたカツオを蒸して、干したもの。江戸庶民に重宝された保存食だ。では、「鰹医」とはなにか、といえば、カツオの「たたき」のことである。

土佐名物のカツオのたたきは、火力が強いワラの炎で表面をあぶり、大葉やニンニクなどを散らして、醤油、酢のたれをかけ、包丁の腹でヒタヒタとたたく。「たたき」とよぶ所以《ゆえん》はここにある、というのが、よくある説明だが、納得できない人もいるのではないか。包丁で軽くたたいた程度で、なにか味に影響するものなのか。

たたきの語源については、**漁師が釣ったカツオを船のうえであぶって、塩や酢をたたきつけて食べたから**、とか、家の三和土《たたき》（土間）でワラを燃やしてつくったから、という説もある。三和土説は魅力的だが、明治・大正時代の作家・村井弦斎《むらいげんさい》が書いた『食道楽《しょくどうらく》』にも、「松魚《かつお》料理」の項で、「掌でたたいたほうが、塩気もよく浸みて味がよくなります。これでたたきと申すのです」とあるので、やはり定説のほうが有力なのかもしれない。

たたきが生まれた起源は、江戸時代にさかのぼる。カツオの刺身は庶民に人気だったが、鮮度が落ちるのが早いので、食中毒が頻発した。そこで土佐藩では生の刺身を禁止するお触れを出した。しかし、「カツオはやっぱり刺身にかぎる」と**反発した土佐の人々は、役人の目をごまかすために、表面だけをワラの炎で焼く方法を編み出した。見た目は焼き魚だが、中は刺身**だから、思う存分楽しめる。こうして、カツオのたたきは土佐の名物になった、というわけだ。

料理番組などでは、あぶったカツオを氷水で冷やしたりする。地元高知県でも、氷水にいれたほうが身がしまる、という意見と、ワラは余分な香りが移るから炭火焼きがよく、風味が落ちるから氷水は厳禁、というふたつの主張に分かれているようだ。

23

紫式部はイワシが好物だった？

『源氏物語』創作の源か

◆◆イワシ式部が詠んだイワシ絶賛の和歌

イワシは縄文時代の遺跡から骨が出てくるほど古くから庶民になじみ深い魚だ。

しかし、平安時代の貴族たちは「下品」だとして口にすることはなかった。ところが、そのイワシが大好物だったといわれる平安朝の有名人がいる。『源氏物語』の作者・紫式部《むらさきしきぶ》だ。

紫式部は、夫の藤原宣孝《ふじわらののぶたか》が外出したスキを見計らっては、焼きたてのイワシを食べていたが、ある日、予定より早く帰ってきた夫に見つかってしまう。夫にたしなめられた紫式部は、あわてず騒がず、歌を詠《よ》んだ。

「**日の本に　はやらせ給ふ　石清水《いわしみず》　まゐらぬ人は　あらじとぞ思ふ**」

つまり、「日本中から敬われている石清水八幡宮。参拝しない人などおりません」という意味だが、「石清水」にイワシをかけて、「日本中で流行ってる、こんなにうまいイワシを食べない人なんていないわよ」と開き直ったわけだ。

この話は、江戸時代の漢和辞書『和訓栞《わくんのしおり》』にのっている。ただ、室町時代の御伽《おとぎ》草子《ぞうし》『猿源氏《さるげんじ》草子』に、ほとんど同じ話が、和泉《いずみ》式部の逸話として紹介されており、いつのまにか和泉式部が紫式部にすりかわった、とみるのが無難だとされている。

ただ、紫式部とイワシの関係をみると、一概に、そうともいえないのではと思えてくる。じつは、**イワシは女房詞《にょうぼうことば》（宮廷女官の隠語）でいうと「紫」**なのだ。つまり、「紫式部」は「イワシ式部」というわけだ。

紫式部は、父の藤原為時《ためとき》が式部大丞《だいじょう》という役職についていたため、はじめは「藤《とう》式部」という女房名でよばれていた。父が越前守《えちぜんのかみ》になり、いまの福井県に赴任したとき同行している。越前といえば、若狭湾でとれるイワシは古代の法令集である『延喜《えんぎ》式《しき》』にも特産として記されているほどで、おそらく**紫式部は、越前で暮らしている間に、イワシの味を覚えたのではないだろうか**。

精神を安定させ、集中力を高めるＤＨＡ（ドコサヘキサエン酸）たっぷりのイワシを食べつづけたからこそ、『源氏物語』が生まれたと想像してみるのもおもしろい。

煮こごりはなぜできるのか？

家庭の発見が生んだ煮魚料理の副産物

24

◆出汁と醤油がおりなす郷土料理の味

池波正太郎『鬼平犯科帳』にでてくるアイナメの煮つけは、いかにもうまそうだ。「上方《かみがた》でいう〔あぶらめ〕という魚。関東では鮎並というし、江戸へ入る小さなのを〔クジメ〕ともよぶ。平蔵は、これを辛目に煮つけたものが、好きであった」（「白い粉」より）。

「辛目に煮つけ」るところが、ポイントだろう。「鬼平」こと長谷川平蔵《はせがわへいぞう》は、よく酒の肴《さかな》としてアイナメの煮つけを食べるが、白いご飯にも、めっぽう合う。関東で「鮎並」と書くのは、川魚のアユなみに縄張りを守る本能が強いせいだ。

煮魚といえば、カレイやヒラメも王道である。白い身を噛《か》みしめると、キシキシと音をたてるような食感、甘辛いたれの風味がたまらない。

カレイやヒラメを煮つけた煮汁は、翌朝、ゼリー状になる。皮に含まれるゼラチン

質が冷えて固まるのだ。これが煮こごりだ。

アナゴやサワラなど、煮こごりができやすい魚は多い。北海道では、カスベの煮つけが人気だ。カスベとはアカエイのことで、本州ではあまりなじみがないが、ごくふつうにスーパーでも売っている家庭料理の食材だ。また、新潟県上越地方では、正月にサメの煮こごりをつくって食べる風習がある。サメの皮を湯通しして細かく刻んで煮こみ、醤油と砂糖で味つけし、型に流し入れて固める。

煮こごりは料理として創作されたものではなく、**煮魚の汁が翌朝、自然に固まっているのを食べて「こりゃうまい」と発見された家庭料理**といっていいだろう。

魚のゼラチン質をつかう料理は海外にもあって、フランス料理のアスピックは、肉や魚を煮てゼラチンで固めたものだ。イギリス料理の「ウナギのゼリー寄せ」も同じだが、悪評高いイギリス料理だけに、ぶつ切りのウナギが薄味のゼラチンのなかに漂う見た目は、あまりうまそうではない。

煮こごりの味が最大限に引き出されるのは、やはり出汁《だし》と醤油の力が発揮される和食ならではだろう。

25

伊勢の焼き魚はなぜ片面しか焼かなかったのか？

スピード勝負の量産料理

◆大量の魚を「焼き魚」に変身させる裏ワザ

和定食といえば、焼き魚は定番のひとつだ。

サバにアジ、ホッケ、秋ならサンマと、脂《あぶら》ののった焼き魚はご飯のおかずにはもってこいだし、酒の肴《さかな》にもうってつけだ。目の前で焼いてくれる炉端《ろばた》焼きは、最近はあまり見かけなくなり、定食屋でも居酒屋でも、もっぱらグリルで焼くのが一般的だ。

おいしい焼き魚も生焼けではいけない。じっくりゆっくり、強火の遠火で火を通すのが鉄則である。ただ、そうなると時間がかかる。旅館の夕食に出てくる焼き魚が冷めてしまっていて、鼻白《はなじろ》んだ経験がある方は多いだろう。大きな旅館ほど、配膳にも時間がかかるわけで、焼きたてを望むのはむずかしい。

その問題を解決したのが、江戸時代、伊勢神宮の参拝客をもてなした御師《おんし》の宿だった。

井原西鶴《いはらさいかく》の『西鶴織留《おりどめ》』に、御師の宿での台所風景が描写されている。多いときで二千人から三千人もの客が泊まるので、調理場は戦場のような忙しさになるわけだが、台所で働いている人数は意外に少ない。わずか二十人ほどだ。ご飯の椀や汁椀、箸や皿を折敷《おしき》にずらりと並べ、流れ作業で次々と盛りつけていく。

では二千尾以上の魚をどうやって焼いたらいいか。

まず、大きな籠《かご》に魚を二十尾ずつ入れ、大釜で茹《ゆ》であげる。焼くのではなく、まず煮て火を通すのだ。煮上がった魚は、細長い板の上にずらりと並べる。ここからが驚きの展開。真っ赤に熱した焼ゴテを並べた魚に押しつけていく。ジュッと音がして魚の皮に焼き目がついてできあがり、というわけだ。引っくり返して裏も焼くというめんどうなことはしない。なにしろスピードが勝負なのだ。だから、「**伊勢の焼き魚に両面焼きはない**」といわれたのだ。

この技法、昔なつかしの元祖料理マンガ『包丁人味平』（原作・牛次郎／画・ビッグ錠）に登場しているので、ご存じの方もいるかもしれない。ただ、いかにも団体観光客向けの調理法で、あまりうまそうではない。

26

なぜ「蒲焼」というのか？

蒲の穂にみたてたぶつ切りウナギ

関東の背開き、関西の腹開きの理由は

ウナギが苦手という人は、けっこういるものだ。うまそうな蒲焼《かばやき》も、裏の皮が気持ち悪いとおっしゃる。まったくお気の毒としかいいようがないほど、ウナギの蒲焼はうまいごちそうのひとつだ。

この**蒲焼という言葉、もともとはカマボコヤキ**で、植物の蒲《がま》の穂《ほ》に似ているから名づけられたという説が有力である。昔はウナギをそのまま縦に串刺しにし、焼いて食べた。

蒲の穂といえば、出雲《いずも》神話の「因幡《いなば》の白うさぎ」で、毛をむしられた白うさぎを哀れんだオオクニヌシが、蒲の穂をつかって治療する話を思い浮かべる人もいるだろう。蒲の穂は、ほぐせばフワフワだが、串刺しの蒲焼は、なんだか固そうだ。

室町時代の『大草家料理書《おおくさけりょうりしょ》』に「宇治丸《うじまる》かばやきの事」という項目があって、「丸

のままあぶったあとに切る。醤油と酒をまぜてつける。また、山椒《さんしょう》味噌をつけて出してもよい」と説明されている。宇治丸とは、京都の宇治川のウナギのよび名だ。料理書だから串刺しのままかじるようには書かれていないが、当時はアユの塩焼きのように串刺しにして焼いて、かぶりついていたのだろう。

ウナギを裂いてたれをつけながら焼く調理法は、江戸時代になって開発され、たちまち普及した。『和漢三才図会《わかんさんさいずえ》』に、いまと同じ調理法の説明があり、本草《ほんぞう》（薬学）学者・貝原益軒《かいばらえきけん》は『大和《やまと》本草』（宝永《ほうえい》六年＝１７０９）のなかで、「川魚のなかで、いちばん味がいい」とほめちぎっている。

ご存じのとおり、関東と関西で、ウナギの裂き方はちがう。関東は武家社会で、切腹に通じるから腹ではなく背から開くのだ、というのが俗説。しかし、もっとはっきりした理由がある。それは、**関東では焼く前に蒸す**からなのだ。

ウナギに串をうって蒸す場合、腹の薄い部分が外側だと崩れやすい。だから背開きにする。いっぽう、関西では蒸さないし、長いままならべて串をうつので、腹開きのほうが都合がいい、というわけだ。

和食こぼればなし

卵は「恐ろしい食べ物」だった？

卵かけご飯を筆頭に、カツ丼や親子丼、出汁《だし》巻玉子など、卵は和食には欠かせない食材だし、家庭の食卓でもおなじみだ。しかし、卵を食べることは、長い間タブーとされてきた。その原因は、天武《てんむ》天皇の肉食禁止令だ。ただし、卵自体が禁じられたわけではない。肉食を嫌う風潮が一般化するにしたがって、卵も同じ扱いをうけるようになったのだ。平安時代には、卵を食べて仏罰が下る説話が広く知られるようになり、卵は「恐ろしい食べ物」になってしまった。

卵をつかった料理が受け入れられはじめたのは江戸時代からだ。天明《てんめい》五年（1785）には『豆腐百珍《とうふひゃくちん》』の後追い企画で、卵の料理法を紹介した『万宝料理《まんぼうりょうり》秘密箱《ひみつばこ》』が刊行されるほど庶民にも浸透している。幕末には「ゆで卵売り」が現れた。「たまご、たまご」の売り声で町なかで商売していたが、四月八日だけは「中風よけ」になるということでアヒルの卵を売っていた、と『守貞謾稿《もりさだまんこう》』にある。

CHAPTER

4

酒と酒肴と「宴会」の謎

日本人が育てた「うま味」のマリアージュ

27

日本酒の元祖はいつ生まれたか？

海外で評価される日本酒の実力

◆「酒を醸す」の意味は？

「白玉の　歯にしみとほる　秋の夜の　酒は静かに　飲むべかりけり」

若山牧水《わかやまぼくすい》が詠《よ》んだこの歌は、酒飲みの琴線に触れる味わいがある。ただし、格好をつけて地酒の余韻にひたるのは最初の一杯だけ、あとはどんちゃん騒ぎという人も少なくはないだろう。酒飲みが自己弁護するとき、「酒は百薬の長」といったりする。これは、『漢書』の「食貨志下《しょっかしげ》」にある言葉で、あくまで「適度な量」が求められるのはいうまでもない。

和食にあうのは、やはり、日本酒だ。うまい刺身や季節野菜の煮物などは、ワインや焼酎ではなく、やはり米でつくった酒のほうが相性がいい。フランス料理ではワインと料理の組み合わせがいいことを「マリアージュ」といったりする。もともとは結婚という意味で、単に相性がいいという以上に、官能的ともいえる幸福をもたらす組

み合わせを表現した言葉だ。たしかに日本語でそのニュアンスを表現するのはむずかしい。しかし、日本人が生み出した「酒」も、和食と深く結びついて、独自の「マリアージュ」を発展させてきたのだ。

では、日本酒はどうやって生まれたのだろうか。

原型といえるのが、「口《くち》噛《か》みの酒」だ。

奈良時代の『大隅《おおすみ》国風土記』には、大隅国（鹿児島県大隅半島・奄美《あまみ》地方）で、「水と米を用意して村中に告げると、男女が集まって米を噛んでは酒船の中に吐き入れ、帰っていく。酒の香りが漂うころになると、また集まり、その酒を飲む」という記述がある。清潔好きの現代人なら裸足で逃げ出すような製法だ。できあがりは、液体というよりは甘酒に近いドロドロしたものだった。

酒を醸造することを「醸《かも》す」というが、米を噛んで酒にする「醸《か》むす」が語源だという説もある。『古事記』『日本書紀』にも、「酒を醸《か》む」という記述がたくさんでてくる。口噛みの酒は、米以外の穀物を原料にしたものが、南太平洋の島々や南北アメリカ大陸にまで広く分布していて、**日本酒だけでなく、デンプンを含んだ穀物を噛んで糖化させ、天然酵母で発酵させる方法は、酒づくりの元祖**といえよう。

◆早くから輸出された日本酒

日本酒離れといわれて久しいが、最近は、山口県岩国市の旭酒造「獺祭《だっさい》」が大人気になったり、海外でも、和食ブームに後押しされて日本酒の認知度が高まっている。国税庁が発表する「酒レポート」によれば、平成十六年（２００４）の日本酒輸出金額は四十五億円だったが、平成二十六年には百十五億円と、この十年間でおよそ二・六倍にふくれあがっているのだ。

ただ、海外での評判とはうらはらに、国内での日本酒の消費量は、頭打ちだ。「酒レポート」に「各酒類の販売（消費）数量比較構成比率の推移」というグラフがあって、平成元年度には全酒類中１５・７パーセントだった清酒の消費量は、平成十五年度には９・１パーセントに落ち込み、以後、７パーセント前後に下げ止まっている。

人口の減少に加えて、酒を飲む人そのものが減っていることも要因だ。海外への進出が突破口になるか、蔵元の実力が試される時代になったといえるだろう。

日本酒が輸出された歴史はあんがい古く、戦国時代にオランダ東インド会社を通じて長崎から東南アジアに広まっている。江戸時代になっても、出島《でじま》から船積みされた日本酒は、中国、東南アジア、ヨーロッパにまで渡った。

器につかわれたのが、**コンプラ瓶《びん》とよばれる波佐見焼《はさみやき》の染付白磁**だ。コンプラとは、ポルトガル語で仲買人を意味するコンプラドールからきている。出島のオランダ商人との間にはいって交易品を売りさばく仲買人が、コンプラ仲間という組合をつくって、自分たちをコンプラ商人とよんだのだ。

薩摩《さつま》酒造の本格麦焼酎「神《かん》の河《こ》」は、コンプラ瓶を模した容器がしゃれている。瓶とラベルには「JAPANSCH　ZAKY」とある。ZAKYは酒のことだ。いまや英語でそのまま通じる「SAKE」は、昔から、その味が海外でも知られていた。

●各酒類の販売（消費）数量構成比率の推移

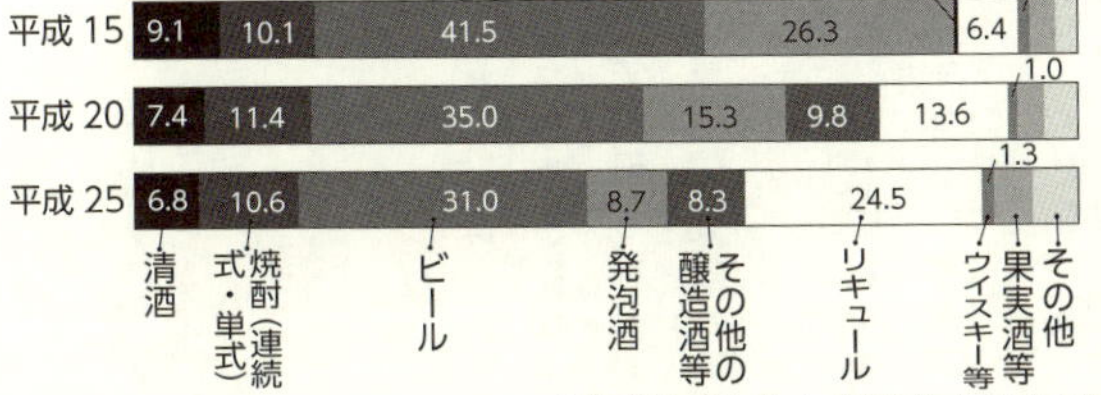

※「国税庁　酒レポート」（平成27年3月）より

28 酒を劇的に変えた技術革新とは？

世界に先駆けた低温殺菌の効能

◆「すみざけ」と「せいしゅ」のちがいは？

「お神酒《みき》」というぐらいなもので、日本酒と神社の関係は深い。

いまでも、**酒づくりをしている神社は全国で四十数社ある**といわれる。ほとんどはドブロクのような濁《にご》り酒で、とくに岐阜県白川郷の白川八幡神社などで催される「どぶろく祭り」は知名度や製造量で筆頭だろう。清酒の製造が法律で許可されているのは、伊勢神宮（三重県）、出雲《いずも》大社（島根県）、莫越山《なこしやま》神社（千葉県）、岡崎八幡宮（山口県）の四社だけである。

奈良県桜井市の大神《おおみわ》神社は、酒づくりの神さまとして有名だ。『万葉集』にもあるように、御神体の三輪山《みわやま》の枕詞は「うま酒《さけ》」で、神社でつくられる杉玉は、全国の蔵元に配られて、酒造業のシンボルになっている。

いまの清酒に近い日本酒が生まれる以前は、ほとんどが濁り酒だった。「清酒」という言葉は、『播磨《はりま》国風土記』にでてくるし、平城京跡出土の木簡《もっかん》にも記されている。ただし、この清酒は「すみざけ」と読み、濁り酒の上澄みのことだ。

いまの日本酒に近い酒がつくられるようになったきっかけは、神社ではなく、お寺だ。「寺で酒をつくった」というと、意外に思われるかもしれない。「不許葷酒《くんしゅ》入山門」と彫った石柱が、寺の門前に建っているのをみたことがあるだろう。これは、「葷酒山門に入《い》るを許さず」と読み、ニラやネギなど臭《にお》いが強い野菜や酒を持ち込んではいけない、と戒《いまし》めたもので、とくに禅寺

岐阜県白川郷の「どぶろく祭」。村内の各神社にどぶろくが奉納され、人々にふるまわれる（写真提供／白川村役場）

に多い。修行のさまたげになるから、煩悩《ぼんのう》を刺激するようなものは、飲んでも食べてもいけないというわけだが、**室町時代の酒づくりの新興勢力となったのが、京都・奈良・堺周辺の大寺院だった。**

当時は、神仏習合がふつうで、寺の境内には神社がまつられていたから、神々に奉納するお神酒づくりが不可欠だったのだ。

◆◆◆南都諸白の登場で日本酒が変わった

寺でつくられる酒は「**僧坊酒**《そうぼうしゅ》」とよばれ、大阪府河内長野市の天野山金剛寺《あまのさんこんごうじ》でつくられた「天野酒《さけ》」はとくに有名だった。「天野比類なし」とか「美酒言語に絶す」と大評判で、豊臣秀吉《とよとみひでよし》も愛飲したという。

奈良市東南の郊外にある菩提山正暦寺《ぼだいせんしょうりゃくじ》には、「日本酒発祥の地」の碑が建っている。僧坊酒の「菩提泉《ぼだいせん》」は「無上之山樽《やまだる》」とよばれ、高く評価された。山樽の「山」は寺の意味だ。

「菩提泉」以前にも酒はあったわけだが、なぜ「日本酒発祥の地」なのかといえば、**正暦寺で開発された技術革新が、その後の日本酒に大きな影響を与えた**からだ。

「菩提泉」が画期的だったのは、はじめに乳酸菌を発酵させ、雑菌の繁殖をおさえながら酵母を増殖させたことにある。この方法なら、高温多湿の環境でも、もろみが腐るのを防げるのだ。もうひとつの技術革新が「**火入れ**」である。

たとえば、牛乳がある程度の温度で熱して殺菌されているように、正暦寺では、できあがった酒をおよそ50度から60度に加熱して、日持ちをよくしていた。この技法は、いまも酒造メーカーでつかわれている。この**低温殺菌法**は、細菌学者のパスツールが1866年に発見したことになっているが、それより三百年前に奈良の僧侶たちが同じ方法を実用化していたのは、まさに驚きだ。

「菩提泉」をはじめ、**奈良の寺でつくられた酒は、「南都《なんと》諸白《もろはく》」とよばれ、珍重された。これこそが、いまの日本酒につながる「うまい酒」の元祖**なのである。南都は奈良の異称で、諸白とは、室町時代の清酒の別称だ。「澄酒《すみざけ》」ともいって、いまの清酒に近い澄んだ酒だったわけだ。それに対して、濁り酒は「どぶろく」とよばれ、上澄みは「中汲《なかく》み」とよばれるようになる。

現在、正暦寺では、毎年一月に「菩提酛《もと》清酒祭」が催され、境内で酒母《しゅぼ》（蒸した酒米に酵母を加えたもの）をつくり、奈良県内の蔵元がもちかえって、醸造している。

なぜ「灘の生一本」というのか？

伊丹と灘の主導権争い

29

◆鴻池村で生まれた「下り酒」

「灘《なだ》の生一本《きいっぽん》」という言葉を日本酒のCMでよく目にする。「灘」は、**兵庫県西宮市《にしのみや》と神戸市（東灘区・灘区）一帯の地名で、「生一本」とは、「まじりけがなくて純粋なこと」**だ。

灘は、東郷（魚崎郷）・中郷（御影郷《みかげ》）・西郷の灘三郷に、西宮郷・今津郷を加えた灘五郷とよばれる酒造が盛んな地域である。では、なぜ灘の酒はまじりけがなく純粋なのだろうか。それは、仕込みに「宮水《みやみず》」とよばれる「神秘の水」をつかっているからだ。**豊富なミネラルを含む六甲山系の伏流水で仕込むことで、灘の酒は名声を獲得した。**灘の生一本は、品質に対する自信をあらわしたキャッチフレーズなのだ。

灘で日本酒がつくられはじめたのは、江戸時代のことで、万治《まんじ》二年（１６５９）に「菊正宗《きくまさむね》」が創業され、八代将軍・徳川吉宗《とくがわよしむね》が改革をすすめた享保《きょうほう》年間（１７１６〜

35）には「沢《さわ》の鶴《つる》」、その後、「櫻正宗《さくらまさむね》」「福寿《ふくじゅ》」「大黒正宗《だいこくまさむね》」「白鹿《はくしか》」が、寛保《かんぽう》三年（1743）には「白鶴《はくつる》」が創業された。

江戸時代のはじめごろは、摂津《せっつ》国（大阪府北西部・兵庫県南東部）伊丹《いたみ》の鴻池《こうのいけ》村から身を起こした山中幸元《やまなかゆきもと》の酒が、トップブランドだった。幸元は、尼子《あまご》氏再興のために奔走した山中鹿之助幸盛《しかのすけゆきもり》の遺児で、叔父とともに酒造りをはじめ、できあがった清酒を樽に詰め、江戸へ向かった。慶長《けいちょう》五年（1600）、関ヶ原の戦いがあった年である。当時の江戸は、徳川家康《いえやす》の大規模な都市づくりがはじまり、人口も増えはじめていた。幸元は新たな市場開拓に乗り出したわけだ。

格段にうまい「伊丹酒」はたちまち人気となり、幕府の御用酒に採用される。領主の近衛《このえ》家から庇護《ひご》をうけた幸元は、鴻池と改称し、勝庵《しょうあん》と号して、ならぶもののない豪商にのしあがった。のちに隆盛をきわめた鴻池財閥の祖だ。

「白雪《しらゆき》」や「剣菱《けんびし》」「男山《おとこやま》」など上方《かみがた》から下ってきた伊丹の酒は「下《くだ》り酒」とよばれ、江戸で愛された。それにくらべれば、上方でもできのよくない酒は江戸へも「下らない」。また関東近郊の酒はまずくて飲めたものではなく、これも「下らない」酒といえる。よくつかう「くだらない」という言葉は、江戸の、あるいは江戸へ「下らない」酒が、「ばかばかしい」とか「価値がない」という意味をもつようになって、生まれた言葉なのだ。

◆画期的だった宮水の発見

江戸のトップブランドだった伊丹酒を、その座からひきずりおろしたのが、「灘の生一本」だった。そのきっかけをつくったのが、灘東郷・魚崎で酒づくりをしていた六代目・山邑太左衛門《やまむらたざえもん》である。

酒づくりは、酒米の精米、仕込み水が重要な意味をもつ。太左衛門は、このふたつの点で一大転換を実現した。そのころは、伊丹をはじめとした酒造家は、足踏みで杵《きね》をつく精米歩合90パーセントの酒米をつかっていた。しかし、太左衛門は水車をつかって精米歩合を70パーセントまで向上させ、江戸で大評判をえた。精米歩合は白米のその玄米に対する重量の割合で、数値が低いほどより高度に精米されている。さらに太左衛門は、もうひとつの重大な発見をする。それが「宮水」だ。

太左衛門は、魚崎と西宮に酒蔵をもっていたが、おなじ原料と醸造法にもかかわらず、いつも西宮のほうができがいい。職人の腕の問題か、と入れ換えてみたが結果はおなじだった。考え抜いた太左衛門がたどり着いた結論が「水」だった。

ためしに、西宮の井戸水をつかって魚崎で醸造してみると、案の定、うまい酒ができる。なんども確かめ、西宮の水＝宮水の力に自信をつかんだ太左衛門は、**西宮から魚崎へ大量の宮水を運び、酒を仕込む。**天保《てんぽう》十一年（１８４０）のことだった。

灘の酒造家たちは、その噂を聞きつけ、競うように宮水をつかいはじめた。はじめは牛の背中に樽をのせて運んでいたが、やがて「水船」とよばれる船での運搬が主流になる。**六甲山の伏流水は、灘の酒の味を飛躍的に進化させた**のだ。

言い伝えによれば、太左衛門は、文政《ぶんせい》十一年（１８２８）に京都の禅寺を訪ねたとき、「臨済正宗《りんざいせいしゅう》」と書かれた仏典を目にして、「正宗」という銘柄を思いついたという。それまでの銘柄は「薪水《しんすい》」だったが、正宗の読みは清酒につながるし、名刀・正宗の切れ味を思わせる。「正宗」は大評判だったが、人気に便乗しようと、「○○正宗」を名乗る酒が乱立し、やがて、**「正宗」は酒そのものの俗称になる。**明治になって、山邑家が「正宗」の商標登録をしようとしたところ、「すでに一般名称になっている」と却下され、やむをえず「櫻正宗」にしたほどだ。いまや、各地の酒につけられている「正宗」の元祖は、灘の生一本を生み出した太左衛門だったのだ。

30 居酒屋元祖の名物料理はなんだった？

行列ができた田楽の味

❖「おひとりさま」には便利な飲食店の流行

近ごろは空前の居酒屋ブームだ。有名店は行列があたりまえ、店によっては暗黙のルールみたいなものがあって、みな、むずかしい顔をして飲んでいるところもあったりする。居酒屋のいいところは、隣り合った者同士が、ごく自然に酒を酌み交わす気軽さだろう。

では、居酒屋はいつごろからはじまったのだろうか。

簡単な肴《さかな》で酒を飲ませる外食業としての居酒屋がはじまったのは、徳川吉宗《とくがわよしむね》が将軍だった元文《げんぶん》年間（１７３６～４０）とも、宝暦《ほうれき》年間（１７５１～６３）ともいわれる。**神田鎌倉河岸《かし》の「豊島屋」という酒屋が、豆腐の田楽《でんがく》を焼いて、客に出した。**酒とともにつまみも売ったのだが、その豆腐は自家製で、「馬方《うまかた》田楽」とよばれた大きな田楽が一本二文。およそ五十円という安さだったから、人気にならないわけがない。田

楽の名前にも使われた馬方や船頭、駕籠《かご》かきなど、肉体労働者だけでなく、町人や武士までもが列をなして、大賑わいだったという。

それほど人気になったのは、江戸時代中ごろまで、町なかには料理をつくって食べさせる店がほとんどなかったからだ。**酒を売る店はあったが、持ち帰り専門だったから、豊島屋の登場は画期的**だった。

「居ながらにして飲める酒屋」が評判になると、次々に同業者があらわれ、寛政《かんせい》年間（1789〜1800）には、酒屋ではなく飲食店として、いまの居酒屋とほとんどおなじ「煮売《にうり》酒屋」が盛んになる。江戸後期の文化《ぶんか》八年（1811）におこなわれた調査では、「煮売居酒屋」というよび名に変わり、江戸の居酒屋は千八百八軒もあった。

江戸は、男の人口が女の二倍もあり、町人はもちろん、国許から単身赴任して、大名屋敷の長屋で暮らす勤番武士をはじめ、独身者が非常に多かった。ひとり暮らしの独身男性が、めんどうな自炊ではなく外食に頼るのは、いまも昔もかわらない。**居酒屋は、そんな「おひとりさま」にとって、じつにありがたい存在だった**のだ。

31 江戸で大流行した豆腐料理とは？

田楽の起源と『豆腐百珍』ブーム

◆田楽と豆腐の謎

居酒屋の元祖・豊島屋（112ページ参照）は、じつはいまもある。居酒屋ではなく、株式会社豊島屋本店として、大吟醸「金婚」などをつくっている。創業が慶長《けいちょう》元年（1596）だから、江戸・東京を通じての最古参というわけだ。

豊島屋の名物だった「馬方田楽《うまかたでんがく》」以外にも、田楽を出す居酒屋の名店があった。大《おお》川《かわ》（隅田川）端《ばた》の真崎《まっさき》稲荷（石浜神社）のあたりにあった「甲子屋」で、そのほかに若竹や、川口屋、玉屋、いね屋、仙台屋などがあった。仙台屋はおそらく仙台味噌をつかっていたのだろう。

田楽の語源は、田楽舞《まい》といわれる。これは、田植えのときに笛や鼓を鳴らして歌い踊る平安中期にはじまった農村芸能で、やがて**田楽法師**という専門の芸人が登場するようになり、高足《たかあし》という一本足の2メートルほどの竹馬に乗って、曲芸を披露して喝采をあびた。その姿が串刺しにした豆腐にそっくりということで、いつしか串刺し料理にも「田楽」の名がついた、という。

長方形に切った豆腐に竹串を刺し、焼いて田楽味噌を塗るのが田楽で、江戸は股なしの一本刺し、上方《かみがた》は股ありの二本刺しだった。昔の豆腐は固かった。だから、江戸の一本串でもだいじょうぶだったのだ。

たれは、江戸では赤味噌に砂糖をくわえて練る。夏がすぎると辛子粉を入れてぴりっとした味わいに替わる。上方は白味噌。緑あざやかな山椒《さんしょう》の芽をのせて、木の芽田楽にした。

はじめは豆腐だけだったが、明《めい》和《わ》期（1764〜71）ごろ、こ

『日本風俗図絵』にある真崎稲荷前の田楽売り。人気店以外にも手軽に食べられる露店があちこちにあった（国立国会図書館蔵）

んにゃくの田楽が普及する。味噌のほかに、海胆《うに》田楽や鶏卵田楽などもあった。

◆『豆腐百珍』がもたらした料理本ブーム

豊島屋の「馬方田楽」が一本二文だったことからわかるように、**豆腐は安く、江戸庶民には重宝する食材だった。**当時は歯科治療が未発達だったから、歯が少ない老人でも食べられる。

賽《さい》の目に切って味噌汁に入れたり、田楽をほおばったり、江戸の人々は豆腐を楽しんだのだが、そこに画期的な本が登場した。天明《てんめい》二年（1782）の『豆腐百珍《ひゃくちん》』だ。

それまでの料理本は、季節や食材ごとに章分けして構成するのが常だったが、『豆腐百珍』は、素材を豆腐に限定し、しかも、百種類の料理法を紹介するというユニークなものだ。しかも、料理だけでなく、巻末には中国宋代の豆腐を題材にした戯作や、豆腐に関する故事来歴のミニ知識集がついていて、まさに「豆腐エンサイクロペディア」だ。絶品、奇品、妙品、佳品、通品、尋常品と六段階評価がついているのも、おもしろい。

尋常品は、日常的に料理される「木の芽田楽」をはじめ、鍋にゴマ油を熱し、崩した豆腐を入れて炒め、根深ネギやワサビ、大根おろしを薬味にする「雷とうふ」など、家庭料理らしいメニューがならび、絶品では、「**真のうどんとうふ**」という凝《こ》ったものもある。これは、豆腐をトコロテンのように細長く突き出し、二つならべた鍋に湯を煮立たせて、片方で温めてつけ汁を入れた器にとり、もう片方の湯をかけ、ネギ、大根おろし、陳皮《ちんぴ》（ミカンの皮）、浅草海苔《のり》などを薬味にするというものだ。湯掻《が》き用と、つけ汁温め用と鍋を二つつかうのがミソだろう。

『豆腐百珍』は、たちまちブームとなり、別の食材をテーマにした「**百珍もの**」が次々とあらわれた。『甘藷《かんしょ》百珍』『海鰻（鱧《はも》）百珍』『蒟蒻《こんにゃく》百珍』のほか、「**秘密箱**」**シリーズ**も刊行され、『鯛《たい》百珍料理秘密箱』や『大根一式料理秘密箱』など、専門書ではなく一般の読者を意識した料理本が本屋にならんだ。

この**料理本ブームがきっかけになり、いまの和食に多大な影響をあたえた文化文政《ぶんかぶんせい》（1804〜29）の江戸料理全盛時代を迎える**ことになる。

32

枝豆は名月を眺めながら食べるものだった？

行商が売り歩いた旬の味

豆がはじきでるから「はじき豆」

豆腐の原料となる**大豆《だいず》を未熟な段階で収穫するのが、枝豆**だ。冷凍食品は便利だが、やはり旬のものは、できれば朝どれの枝つきを茹《ゆ》でたいものだ。

江戸時代の枝豆は「はじき豆」ともいった。豆がはじきでるからだ。旧暦九月の十三夜、「後《のち》の月」のころに食べる。そのため、豆名月《まめめいげつ》という言葉もある。

茹で枝豆の行商は、明和《めいわ》八年（1771）ごろからあらわれた。いまはたしかにスーパーやコンビニで茹でた枝豆を売っていたりするが、江戸の行商は、朝茹でたものをその日のうちに売り歩く。なんだかうらやましい。

節分と大晦日《おおみそか》に飲む「福茶《ふくちゃ》」は、昆布《こんぶ》に黒豆、山椒《さんしょう》、小梅漬けを煮出したものだ。黒豆は「座禅豆」の異名もある。一説によれば、禅僧が長時間の座禅を組むとき、小便を少なくするために食べたから、という。

茹でた枝豆をすりつぶして砂糖を加え、餅にまぶした「ずんだ餅」は東北名物だ。おもに宮城県、山形県、岩手県などの郷土料理で、雑煮は焼いた角餅なのだが、ずんだ餅だけは、茹でた餅をつかう。とくに岩手県一関市は「餅文化」が盛んで、ずんだをはじめ、生姜《しょうが》やクルミ、あんこに納豆とバリエーションが豊富で楽しい。

枝豆といえば、ビールだろうが、莢《さや》ごと焼いたそら豆は、日本酒や焼酎にもよくあう。漢字で書くと、**空豆、蚕豆。九州や中国地方では、「夏豆」**ともよび、季節感がより感じられる。じつは、慶長《けいちょう》八年（1603）にイエズス会が刊行した日本語とポルトガル語の辞書『日葡辞書《にっぽじしょ》』には、ソラマメではなくナツマメとして載っていて、こちらのほうが古いよび方のようだ。

花が空を向いて咲き、莢も空を向くから「空豆」と書くというのが定説で、蚕豆のほうは、文献上では確認できないが、豆の形が蚕《かいこ》に似ているからだろう。中国の文献では「胡豆《ことう》」と書いてあって、原産地の西南アジアを思わせる。江戸時代の百科事典『和漢三才図会《わかんさんさいずえ》』では、**「豆を取り、炒《い》るべし、煮るべし、未醤《みしょう》につけるべし、飯にまぜて食うべし、また、塩と合わせると味よし」**と絶賛している。

33

お節料理の起源は？

節句ごとに料理があった

◆◆武家の年中行事から町人の年中行事へ

正月の宴会を盛り上げるのがお節《せち》料理。最近は自宅でつくらず、通販で取り寄せたり、洋風お節もある。昔は、日々家事にいそがしい女性に、正月だけは楽をしてもらうために、日持ちのする料理をつくった、と説明されたものだが、お節の起源をみると、それだけが理由ではないようだ。

お節の「節」は、「節供《せっく》」のことだ。いまは「節句」と書くことが多いが、江戸時代の公式年中行事ではこう書かれる。公式というのは、幕府が制定したからだ。

江戸幕府は、正月七日の「人日《じんじつ》」、三月三日の「上巳《じょうし》」、五月五日の「端午《たんご》」、七月七日の「七夕《たなばた》」、九月九日の「重陽《ちょうよう》」を「五節供」として定めた。五節供は、中国で季節の変わり目に食べ物を神に捧げた習俗に由来している。「**節目に供する**」**から、節供と書く**わけだ。

五節供は、もともと王朝貴族の風習だったが、幕府は武家にふさわしい季節の変わり目の行事として、改定している。たとえば「人日」は朝廷の式日には入っていないし、端午の節供は「尚武《しょうぶ》の節供」で、いかにも武家らしい祝いの日だ。ちなみに、人日は中国の風習で、正月の一日から七日までを、鶏・狗《いぬ》（犬）・猪《いのしし》（豚）・羊・牛・馬・人にあて、それぞれの動物はその日に殺してはいけないとされた。七日目が人だから、人日というわけだ。

「お節」とは、つまり**五節供に供された料理**だった。町人文化が隆盛し、料理を楽しむようになると、五節供の行事は、武家だけのものではなく、町人も祝うようになる。**一年でもっとも重要だったのが正月なので、正月の「お節料理」は豪華となり、やがて、正月のものだけを「お節料理」とよぶようになった**のだ。

お節料理の中身は、「喜ぶ」に通じる昆布《こぶ》巻き、「まめに暮らす」ようにと黒豆、ゴボウやレンコン、クワイなどだが、「田作《たつく》り」だけは由来を知らないと、ちょっと首をかしげてしまう。干したカタクチイワシ「ごまめ」の異称で、関東では「たづくり」といい、もとは田植えの御祝儀の肴《さかな》だったからとも、イワシが田んぼの主要肥料（干鰯《ほしか》）だったからともいわれる。

34

雑煮はいつから正月の食べ物になったか？

出汁や味噌のちがいが生んだ地方色

◆江戸時代にはすでに地方色が出ていた

正月になると、「全国お雑煮味くらべ」がテレビで話題になる。地方によってこれほど特色がきわだつ料理もめずらしい。

東日本は角餅、切り餅で、西日本は丸餅が一般的だが、北海道は土地によってさまざまだ。これは、明治以降、全国各地から入植者が集まったせいだ。角餅と丸餅の境界は、近畿地方の東端、フォッサマグナの西端あたりといわれる。

汁は近畿地方と香川県、徳島県、福井県、三重県が味噌仕立てで、それ以外は醤油と出汁《だし》の澄まし汁仕立てだ。味噌仕立ても、白味噌や赤味噌、合わせ味噌などがあり、関西は白味噌仕立てがほとんどである。

正月に雑煮を食べる風習は、戦国時代ごろにはすでに各地に広がっていた。それまでは、酒の肴《さかな》として儀礼的な席で出された料理だったようだ。日本イエズス会が慶《けい》長《ちょう》八年（1603）に刊行した日本語とポルトガル語の**『日葡《にっぽ》辞書』によれば、「ザウニ」は「正月に出される餅と野菜でつくった食物の一種」と説明している。**

雑煮の地域性は江戸時代にはすでにできあがっていて、『守貞謾稿《もりさだまんこう》』には、「京都ではかならず芋魁《いもがしら》（サトイモ）を加え、大坂は味噌仕立てで丸餅、小芋、焼き豆腐、大根、干しアワビの五種を味噌汁に入れてつくる。江戸は切り餅を焼き、小松菜を加え、鰹節《かつおぶし》と醤油の出汁」と説明していて、いまと変わらない。

餅は、そもそも神饌《しんせん》、つまり神さまへの供え物だった。民俗学者の柳田國男《やなぎたくにお》は、九州地方で、雑煮のことを直会《なおらい》と呼ぶところが多いのに着目し、

「我々が新たに知つたことは、神の祭の供物に参加する風が今も一般的で、それをナホラヒと呼んでゐる土地のまだ多いことゝ、それから正月の雑煮もその一つの場合だつたらしいといふことゝである」（『食物と心臓』）

と述べて、**神さまに供えた餅とそのほかの供物を一緒に煮たのが、雑煮のはじまり**だと論じている。

35

吉原の客はどんな料理を食べたのか？

歓楽街のグルメスポット

◆食通が注文した名店の仕出し料理

吉原《よしわら》といえば、江戸随一の歓楽街だった。花魁《おいらん》遊びはもちろんだが、盛り場にふさわしいグルメスポットが江戸っ子の楽しみでもあった。

妓楼《ぎろう》にも台所はあったが、あくまで従業員用で、**客に出す料理は台屋《だいや》とよばれる仕出屋から膳が届けられる。これを「台の物」といった。**

台の物は、はじめは懸盤《かけばん》という黒塗の高脚膳で、のちに脚のない硯蓋《すずりぶた》が主流になった。値段は二朱（約一万円）なら煮物や酢の物が計三品、一分（約二万円）なら刺身や焼き物がつくものの、松竹梅の飾りだけが豪華で、量は少なく、まずかったようだ。

そこで食通を気取る客は廓《くるわ》の外から料理を取り寄せた。

人気だったのは浅草（吉原）田圃《たんぼ》の裏手、大音寺《だいおんじ》前の「田川屋」。諸藩の江戸屋敷や旗本が贈答用に注文するほどの有名仕出し料理店で、名店として知られる浅草山谷の「八百善」に匹敵するほど繁昌していたという。また、廓内にあった「江戸川」という鰻屋《うなぎや》も有名で、懐の温かい客は蒲焼《かばやき》に舌鼓を打ったが、ひやかしや節約組は大門《おおもん》前にあった「増田屋」の「釣瓶《つるべ》そば」で腹を満たした。

江戸のテーマパークともいえる**吉原には土産物に最適な名物がいろいろあった。**

江戸住まいの武士・町人はもちろん、地方から出てきた客がもっとも重宝した『吉原細見《さいけん》』はその代表格といえよう。

妓楼の屋号と場所、遊女の源氏名、等級や揚代《あげだい》はもちろん吉原にある店舗や芸事の師匠の名などが記してある。はじめてでも安心なガイドブックとして江戸の隠れたベストセラーだった。

江戸中期の『吉原細見』には「吉原名物ベスト7」が紹介されている。二日酔いに効く「**袖の梅**」、名店・竹村伊勢の「**巻きせんべい**」、それに当のガイドブック「**吉原細見**」、梅を砂糖漬けにした「**甘露梅**」、増田屋の「**釣瓶そば**」、竹村伊勢の「**最中の月**」、山屋の「**おぼろ豆腐**」の七つがそれだ。

参勤交代で江戸藩邸にやってきた諸藩の武士や地方からの見物客は廓で遊ぶだけでなく、こうした名物を楽しみにしていた。

36

懐石料理と会席料理はどうちがう？

禅宗や茶道との関係は？

◆和食の土台となった「食べて楽しむ料理」

懐石料理というと、けっこう高級なイメージがある。

しかし、懐石料理が生まれた背景をみると、はじめは質素な「おもてなし」の料理で、けっして技巧をこらしたものではないことがわかる。その背景とは、茶の湯だ。

鎌倉時代に臨済宗を開いた栄西《えいさい》が、宋《そう》から茶の種を持ち帰り、やがて武家社会の間で茶の湯が流行する。**千利休《せんのりきゅう》が確立した「侘《わ》び茶」は、なにもかもが質素で静かだ。亭主は、はじめに客をもてなす簡単な料理を出す。この料理が「懐石」とよばれた。**

そもそも、「懐石」とは、「温石《おんじゃく》で腹を温めるのと同じぐらいの、空腹をしのぐ粗末な食事」という意味で、**禅宗の僧が修行するとき、空腹をまぎらわすために、石を温めて布などでくるみ懐に入れたことに由来する。**茶の湯の懐石料理は、禅宗の質素な習わしにならって、「侘び茶」の流れのなかで生まれたものだ。だから、茶懐石ともいう。

基本的な献立は飯、汁、向付《むこうづけ》、煮物、焼き物の一汁三菜。料理は、たとえば麩《ふ》の煮物、山菜の和《あ》え物、鮎《あゆ》の塩焼きといったもので、お膳のうえにすべてならべるのではなく、まるで西洋料理のフルコースのように、一皿ずつ運ばれる。

旬の食材そのものの味を重視し、美しく盛りつけてもてなす懐石料理は、和食の考え方の土台となった。戦国時代には、さまざまな料理を膳のうえにならべる豪華な本《ほん》膳《ぜん》料理が宴席の主流になり、**江戸時代に入ると、質素な懐石料理と本膳料理が合体**して、よりくだけた席で食べて楽しむ本膳料理が登場する。これが「**会席《かいせき》料理**」だ。

会席とは、もともとは俳諧《はいかい》の席という意味だった。俳諧は、のちに一般的になった俳句とはちょっとちがって、数人が集まり、上の句に下の句、下の句に上の句をつけていく連歌《れんが》形式で、連歌よりもユーモアを重視する。やがて、俳句が流行するようになり、句会の席では酒や料理が出て、文芸サロンのような交流の場になった。

江戸時代中期以降、会席が料理茶屋で開かれるようになると、ますます高級化して、句会のあるなしに関係なく、酒を飲み料理を食べ、歌い踊る宴席の料理に進化していく。会席料理は、まさにいまの和食の基礎になったのだ。

37 酒飲み戦国大名の健康法とは？

梅干しや旬の食材で長生き？

クエン酸たっぷりの梅干しの効能

越後《えちご》の戦国大名・上杉謙信《うえすぎけんしん》は、酒豪として有名だった。家臣たちとの酒盛りがひととおり終わると、気心の知れた家臣を連れて別の部屋へ移動して、三合は入る大杯で酌み交わし、さらに二次会まで開いたといわれる。ただ、大酒を飲むのは酒宴のときだけで、ふだんは、静かな酒だった。『雑話藻塩草《ざつわもしおぐさ》』によれば、ひとりで縁側に座り、小さな杯で、梅干しを肴《さかな》に飲んだという。

梅干しは、和食の調理でよくつかわれる。梅肉あえやイワシの梅干し煮、梅干しのお茶漬けも酒のシメにはうってつけだ。**梅干しにはクエン酸が多く含まれているので、アルコールの代謝が促進され、悪酔いしにくい。**謙信は、体験的にその効能を知っていたのかもしれない。

謙信は、厠《かわや》で倒れ、四十九歳で急死した。脳溢血《のういっけつ》だったといわれる。酒の飲みすぎか、はたまた塩分の摂りすぎかはわからない。ただ、梅干しのせいにはしたくない。

梅干しが好きで長生きしたのが、戦国大名・北条早雲《ほうじょうそううん》だ。前半生には諸説があって謎だらけだが、明応《めいおう》二年（1493）、伊豆《いず》に攻め入って平定したのが六十二歳のときだったといわれる。早雲は、室町幕府の支配を受けず、独立した権力をもった最初の戦国大名だった。

早雲の独立で、各地の豪族が戦国大名化していき、戦国時代が本格化するわけだが、中高年の星・早雲は、戦いを続けるなかで、梅干しを活用した。食べ物の腐敗を防ぎ、健康にもいい。なにより、自分が好きだったので、**小田原城下に梅の木を植えさせ、梅干しづくりを奨励した。紫蘇《しそ》で巻いた梅干しを携行食として雑兵《ぞうひょう》に持たせた**といわれ、この「しそ巻梅干し」は、いまでも小田原市の名産で「かながわの名産100選」にも選ばれている。

梅干し好きのせいか、早雲は長生きだった。生年に諸説はあるものの、八十八歳の長寿を全うしている。戦国時代の平均寿命は四十歳ほどといわれ、非常に短かった。早雲は梅干しを食べ、駿河湾や相模灘の旬の魚を食べて健康を維持したのだろう。

38

江戸の人々は花見にどんな料理をもっていった？

豪華花見弁当の中身

◆滑稽で気の毒な「長屋の花見」

春になれば花見の季節。東京なら上野公園や隅田川堤、大阪なら造幣局の通りぬけなど、桜の名所は各地にある。

江戸時代の花見は、はじめは一本の桜をめでるものだったが、八代将軍・徳川吉宗《とくがわよしむね》は、その慣習をがらりと変えてしまった。墨堤《ぼくてい》とよばれる隅田川の東堤や飛鳥山《あすかやま》などに桜を植樹し、庶民が花見を楽しめるようにしたのだ。

江戸の花見といえば、落語「長屋の花見」が情けなくておもしろい。

貧乏長屋の店子《たなこ》連中が大家の提案で、上野のお山に花見に出かける。なにしろ、親父の遺言で店賃《たなちん》は払ってはいけないことになっている、とか、店賃を払ったのは十八年前と自慢する連中ぞろいだから、大家も金がない。酒と思ったら番茶を水で薄めたもの、かまぼこは月型に切った大根の浅漬け、玉子焼きは黄色いからたくあんで代用するといった始末。「長屋中　歯を食いしばる　花見かな」の珍句までとびだして大騒ぎだ。

江戸中がみな貧乏だったわけではない。なかには、豪勢な花見弁当をもって出かける大尽《だいじん》もいた。享和《きょうわ》元年（1801）に刊行された醍醐山人《だいごさんじん》の『料理早指南《はやしなん》』には、**漆塗《うるしぬり》の重箱や、手さげ式の提《さげ》重箱に料理を詰めた豪華な弁当が紹介されている。**

一の重には「かすてら玉子　わたかまぼこ　わか鮎《あゆ》色付焼　むつの子　早竹の子旨《うま》煮《に》　早《さ》わらび　打ぎんなん　長ひじき　春がすみ（魚のすり身を蒸しあげた料理）」、二の重は「蒸かれい　桜鯛《さくらだい》　干大根　甘露梅」、三の重は「ひらめとさよりの刺身に、しらがうどとわかめを添え、赤酢みそを敷く」、四の重は「小倉野きんとん　紅梅餅　椿餅　薄皮餅　かるかん」、割籠《わりご》（白木の折り箱）には「焼飯　よめな　つくし　かや小口の浸物《ひたしもの》」が入っている。焼飯は、もちろんチャーハンではなく焼きおにぎりのことだ。

『料理早指南』には、それぞれの調理法も解説してある。日本橋の大店《おおだな》の若旦那あたりが、取り巻きを引き連れて、豪勢な弁当に舌鼓をうつ光景が目にみえるようだ。

39 伊達政宗が指導したホヤの食べ方とは？

酒の味が変わる奇跡の水

好みがはっきり分かれる海の幸

味や臭《にお》いに独特のクセはあるが、慣れればやみつきになるほどうまい、という食べ物がある。納豆はもっとも一般的で、ウルカやコノワタなど魚介類の腸の塩辛もそうだし、伊豆《いず》諸島名産のクサヤなどもそうだろう。

慣れるまでに時間がかかる、というより好き嫌いがはっきりと分かれる代表はホヤだと思う。東北地方の太平洋沿岸や北海道などでとれる海の幸で、脊索《せきさく》動物門尾索《びさく》動物亜門ホヤ綱というややこしい分類名をもつ原索《げんさく》動物の一種だ。

漢字で書くと海鞘で、ほかに保夜、老海鼠、石勃卒などと書いたりする。ホヤの仲間はいろいろだが、食用になるのは、おもにマボヤだ。

分厚い皮をむいて鮮やかな橙色《だいだいいろ》をした身をとりだし、ワタをとって適当な大きさに切る。酢醤油で食べたり、キュウリと合わせて酢の物にしたり、焼きホヤにしたりと、好きな人にとってはたまらないが、苦手な人はまったく箸をのばそうとしない。

ホヤの特産地として知られる宮城県石巻市で水揚げをみたことがある。外見はイボイボがあって、いささかグロテスクだが、赤銅色ではちきれそうなホヤは海のパワーをすべて吸収したかのようだった。ホヤの旬は五月から九月にかけてで、冬にも出回るが、旬のホヤはグリコーゲン含有量が格段に増える。ホヤが嫌いという人は、たいてい、最初に食べたのが鮮度の落ちた萎《しな》びたものだったからだろう。はじめて食べるなら、やはり新鮮なものが望ましい。

そのホヤが大好物だったのが、独眼竜の異名で知られる伊達政宗《だてまさむね》だ。

政宗は、家臣にお触れを出し、「ホヤを食べるときは、中の汁をかならず飲むように」と厳命した。

ホヤをさばくと、なかにほぼ透明な「**ホヤ水**」とよばれる液体が入っている。ホヤ水を飲んだあとに水を飲むと、じんわりとした、えもいわれぬうま味が口の中いっぱいにひろがる。水ではもったいない。日本酒を飲めば、さらにうまくなる。いまでも、ホヤの刺身には醤油のかわりにホヤ水を出す店があるほどだ。

政宗は、地元食材の特徴を知ったうえで、うまい酒を飲んでいたのである。

40 クサヤがくさいのはなぜか？

乳酸菌が生み出す絶妙な発酵

◆発酵食品の臭いは異文化の香り

ホヤとならんで、クセのある食べ物の代表格が、伊豆《いず》諸島名産のクサヤだ。**ムロアジやトビウオなど近海の魚を開いて、きれいに内臓をとり、「くさや汁」とか「くさや液」とよばれる塩水に漬け、干す。**

以前は、居酒屋でクサヤを頼むと店内に独特の強烈な臭《にお》いが充満したものだが、最近はグリルが進歩したせいか、そういうことは少なくなったようだ。クサヤというだけあって、たしかにくさいが、慣れれば、これほど酒にあう肴《さかな》はないだろう。

「くさや汁」は、はじめからできあがっているものではない。昔は塩が貴重だったため、**干物をつくるときに漬けた塩水を何度も使い回しているうちに、魚の成分と微生物のはたらきで塩水が発酵したもの**だ。必要にせまられて塩を節約したおかげで、ほかに例のない発酵食品ができあがったわけだ。

「くさや汁」の成分は、塩分や灰分のほかに、「くさや菌」という乳酸菌の一種をはじめとしたさまざまな微生物が絶妙のバランスで含まれている。これらが作用して発酵し、アミノ酸によるうま味が生まれる。**クサヤの臭いは、長年にわたって塩をつぎ足し、魚を漬けていく過程で発酵・熟成された結果**、といえよう。

発酵食品は、そもそもくさい。世界でいちばんくさいといわれるスウェーデンのニシンの塩漬け「シュールストレミング」、ガンギエイを発酵させた韓国の「ホンオフェ」などの臭いは強烈だ。ヨーロッパのヤギのミルクのチーズもかなりくさい。

納豆の臭いは気にならなくとも、こうした異文化の発酵食品に出会うと、たいていの日本人は「腐ってる」と嫌悪感を示すだろう。同じように、ナチュラルチーズをうまそうに食べる西洋人も、クサヤの臭いには閉口するはずだ。

戦国時代に来日したイエズス会宣教師のルイス・フロイスは、「日本覚書」のなかで、「**われらにおいては、魚の腐敗した臓物は嫌悪すべきものとされる。日本人はそれを肴として用い、非常に喜ぶ**」と書き残している。

フロイスは、腐敗と発酵のちがいを知らなかったようだが、異文化を理解しようとする姿勢だけはあったようだ。

41

家庭用の焼酎蒸留器があった？

薄い酒を強い酒に

◆◆飲んべえが喜ぶ強い焼酎の製造法

天保《てんぽう》年間（1830～43）、焼酎が大好きな、けたはずれの飲んべえがいた。ある日、居酒屋で焼酎五合を注文すると、立ったまま飲み干した。あまりに飲みっぷりがいいので、店にいた客や店主が「まだ飲めるだろう」と次々におごって、あっという間に二升を飲み干してしまった。満足した飲んべえが家に帰って、煙管《きせる》で一服つけたところ、口の中から炎がふきだしたと思った瞬間、体中が燃えあがり、男は気を失ってしまった、という。山崎美成《やまざきよししげ》の『三養雑記《さんようざっき》』にある話だ。

江戸時代に焼酎があった、と聞くと意外なようだが、**戦国時代にはすでに中国から焼酎づくりの技法が伝わっている。**十返舎一九《じっぺんしゃいっく》の『東海道中膝栗毛』でも三島宿（静岡県三島市）で「焼酎はいりませぬか。目のまわる焼酎をかわしゃいませ」と弥次さん喜多さんに焼酎売りが、からんできたりする。**酒精を繰り返し蒸留してつくる焼

酎は、江戸ではおなじみの強い酒で、酒粕を蒸留してつくったものを「粕取り焼酎」（終戦直後に密造された「カストリ」とは別物）、もろみだと「もろみ取り焼酎」、酒からだと「酒取り焼酎」と区別した。

焼酎は、店で売っているだけではない。なんと、家庭用の蒸留器まで普及していた。

幕末の世相を伝える川合小梅《かわいこうめ》の『小梅日記』には、嘉永《かえい》六年（１８５３）一月六日の出来事として、「先月二十四日より昨日まで一斗の酒也。しかし、薄き酒ゆへ、**らん引**（**蘭引**）にて二升ばかりとる」と書いてある。

この「らん引」が蒸留器のことだ。おもに陶器製で、大きめの急須をふたつ重ねたような形をしている。下の容器に酒を入れ、重ねたほうには冷水を入れておく。底から熱すると、蒸発した酒精が冷やされ、下の容器の口から露となって滴《したた》り落ちる。これで焼酎のできあがりだ。中国で焼酎のことを「酒露」ともよんだのは、この技法のためだろう。「蘭引」とあるように、もとは南蛮《なんばん》渡来の道具だったようだ。

小梅は、紀州藩の藩校・学習館の督学だった川合梅所《ばいしょ》の妻で、この日記を書いたときは数え年で五十歳。酒が薄いから焼酎にした、とあるように、夫も息子も本人も、かなりの酒好きで、客がくると、まず「一杯」を出し、自分も飲んだりしている。

和食こぼればなし

お茶は二日酔いの薬として広まった？

和食のあとの一服は、やはり日本茶にかぎる。お茶が広まるきっかけをつくったのは、鎌倉時代に臨済宗を開いた禅僧・栄西《えいさい》だ。宋《そう》で修行した栄西は、お茶の種を持ち帰り、福岡県と佐賀県の境にある脊振《せふり》山麓の霊泉寺《れいせんじ》で、茶の栽培をはじめた、と伝わる。

栄西は建保《けんぽう》二年（１２１４）、鎌倉を訪れて三代将軍・源実朝《みなもとのさねとも》に拝謁した。このとき、実朝は前夜の飲みすぎで完全な二日酔いだった。栄西は、一服のお茶を献上した。ただし煎茶《せんちゃ》ではなく、抹茶《まっちゃ》をたてたものだ。すると二日酔いがたちまち回復し、感心する実朝の前にさしだされたのが、『喫茶養生記《きっさようじょうき》』である。この書物のなかで栄西は茶の効能や栽培法などを解説し、いかにすばらしい「仙薬《せんやく》」なのかを詳しく述べている。以後、臨済宗は鎌倉・室町幕府とも強く結びつき、茶道は武家のたしなみになった。栄西のプレゼンはみごとに成功したわけだ。

CHAPTER

5

ご飯と「ご飯の友」の謎

互いに高めあう究極の和食

42

なぜ関西ではお茶漬けが人気なのか？

生活パターンのちがい

◆上方の茶粥と江戸の奈良茶飯

江戸時代になると、庶民も一日三度の飯を食べた。俗に「**東の朝炊き、西の昼炊き」といって、江戸と上方《かみがた》ではご飯を炊く時間帯がちがった。**

江戸は職人の町でもあったから、朝早くにご飯を炊いて、昼は弁当かそばなどの外食で済ませ、晩飯は朝炊いたご飯の残りを食べる。

一方の上方は、商人の町で、朝は忙しいから、奉公人たちも飯を炊く暇がない。そこで、昼に温かいご飯を食べ、夜と翌朝は、茶粥《ちゃがゆ》にして食べた。

安政《あんせい》二年（１８５５）から六年、大坂町奉行を務めた旗本の久須美祐雋《くすみすけとし》の随筆『浪花《なにわ》の風』には、「どんな富豪の家でも、朝は茶粥を炊いて食べる。味噌汁は昼食だけ。江戸で、朝飯を炊いて汁を煮ると聞いて笑う者が多い」とあって、**京都・大坂では、豪商も庶民も、朝は茶粥がふつうだった。**大阪・淀屋橋《よどやばし》にその名を残す豪商・淀

屋辰五郎《たつごろう》も、茶粥が好物だったという。

江戸でも「奈良茶飯《ならちゃめし》」が流行《はや》った。

『本朝食鑑《ほんちょうしょっかん》』によれば、「奈良茶飯」は、もともとは奈良東大寺、興福寺にはじまり、薄く淹《い》れた茶に塩を少し入れ、これで米を炊いて飯にし、「炒《いり》大豆、炒黒豆、赤小豆《あずき》、焼栗」などをまぜて、さらに濃い煎《せん》じ茶をそそいで食べるというものだ。

料理屋などなかった江戸時代中期ごろまで、奈良茶飯を食べさせる茶屋は、江戸の町では貴重な外食店だった。「奈良茶見世《みせ》」では、茶飯に豆腐汁、煮しめに煮豆で飯を食べさせる。浅草寺周辺の茶屋ではきれいな器で奈良茶飯を食わせる見世がならんでいたというし、十返舎一九《じっぺんしゃいっく》の『東海道中膝栗毛』でも川崎宿（神奈川県川崎市川崎区）のシーンに奈良茶飯で有名な茶屋「万年屋」が登場する。

◆「まぜごはん」いろいろ

関西では、「かやくごはん」も一般的だ。**漢字で書くと「加薬御飯」で、薬味を加えたご飯という意味**である。

ご飯にいろいろな具をまぜる飯ものの料理は、江戸時代になって、さまざまなバリエーションが生まれた。「かやくごはん」もそのひとつだが、土台になったのは「茶飯」とよばれるものだ。これは、いまのように淹《い》れたお茶でご飯を炊くのではなく、ほうじ茶を細かくもんでご飯にまぜこむものだ。「かやくごはん」は、お茶をつかわずに、ゴボウやこんにゃくなどの具をまぜる。

また、**炊きあがったご飯に塩もみの菜っ葉を細かく刻んでまぜる「菜飯《なめし》」**は、江戸時代中期にはすでにあって、ワカメを炙《あぶ》って粉にし、ふりかけのように飯にまぜて蒸す「菜飯もどき」というのもあった。筍《たけのこ》飯や栗飯、大根飯も江戸中期にはすでに登場している。うまそうなのは、「茄子《なす》飯」。焼きナスを水に浸して皮をむき、細かく割《さ》いて椀に入れ、その上にご飯を盛る。薄口醤油でつくった汁を添え、胡椒《こしょう》を薬味にする。汁をかけて食べたら最高だろう。

鳥肉や魚をまぜるものでは、鰻丼《うなどん》、鯛《たい》の浜焼《はまやき》飯、鶏《とり》飯が普及し、ハモ、カキ、エビ、カニなど、いまでもごちそうの部類に入る炊き込みご飯が登場している。「吹寄《ふきよせ》飯」は、薄焼き玉子、油揚げ麩《ふ》、青菜をつかう。五目飯は、いまとあまりかわらず、玉子、ニンジン、シイタケ、キクラゲ、タケノコ、こんにゃく、ほろほろ豆腐、アワビ、エビ、青昆布《こんぶ》などを飯にまぜたり、上に盛ったりした。

東海道川崎宿で有名だった奈良茶飯の「万年屋」
（『江戸名所図会』国立国会図書館蔵）

43 高級料亭の超高級なお茶漬けとは？

八百善が出した一両二分の豪華版

ウリとナスの漬け物とお茶だけのシンプル茶漬けの値段は

お茶漬けの素をふりかけただけのものから、鯛《たい》茶漬けや鰻《うなぎ》茶漬けまで、ふところ具合に応じた楽しみ方ができるのが、お茶漬けの気軽さだ。しかし、お茶漬けを食べただけで、十二万円の請求書をみせられたらどうだろう。ぼったくりではない。実際に江戸時代の料理茶屋で、そんなことがあった。**町人文化が絶頂期をむかえた文化文《ぶんかぶん》政期《せいき》（1804～29）、高級料亭の代名詞ともいわれた浅草の「八百善」**が、その舞台だ。

ある日、すっかり酔っぱらってしまった客が、二、三人をつれて八百善に入り、「極上の茶漬けと香《こう》の物」を注文した。酔い醒《ざ》ましにはお茶漬けがいちばんと思ったのだろう。ところが、いくら待っても、お茶漬けが出てくる気配がない。

ようやく煎茶の土瓶《どびん》と、香の物が出てきた。**香の物は、春にはめずらしいウリとナ**

スの粕漬けを切りまぜたものだった。「さすがは八百善」と満足して、お代を払おうとすると、「金一両二分いただきます」という。客が、「たしかにめずらしい香の物だが、いくらなんでも高すぎる」と文句をいうと、亭主はこう説明した。

「香の物代もそうなのですが、じつはお茶の代金が高いのです。茶葉はもちろん極上でございますが、それにみあう水が近辺にないものですから、玉川（多摩川）まで水を汲《く》ませに人を走らせました。お客さまを待たせてはいけませんから、早飛脚をつかったので、その運賃が加わりまして高額になってしまったのです」

開いた口がふさがらない、とはこのことだろう。香の物をのせてサラサラとかきこんだシンプルなお茶漬けが、いまの価値で、およそ十二万円なのだ。

この話は江戸後期の風俗を記録した『寛天見聞記《かんてんけんぶんき》』に載っていて、まるでバブル絶頂期の話のようだが、八百善が超高級だったのは事実だ。

いまでいえば商品券のような「料理切手」の贈答が当時は流行していて、**幕府の要人が贈られた八百善の料理切手は、十人ほどが、たっぷり飲み食いをしてお土産をもらい、しかも、残り金として十五両が添えられた**という。およそ五十両ほどの料理切手だったわけだ。文化文政のバブルぶりがよくわかる逸話といえよう。

44

京都の「おばんざい」とは？

京都の土壌が生んだ家庭料理

◆日によって食べるものがきまっている家庭の味

京都の家庭料理といえば、「おばんざい」がよく知られている。

ご飯のおかずという意味で「お飯菜」とか「お晩菜」と書くこともあるが、幕末の嘉永《かえい》二年（１８４９）刊行の『年中番菜録《ねんちゅうばんさいろく》』という本に、「関東では惣菜といい、関西では雑用《ぞうよう》のものをいう献立」という定義が載っているので、昔は「番菜」と書いたようだ。番茶や番傘などのように、「番」には「日常の」とか「粗末な」という意味があるから、「おばんざい」は家庭料理をへりくだっていった言葉だったのだろう。

おばんざいの主役は、やはり京野菜だ。

代表的な「聖護院《しょうごいん》大根」は、江戸時代後期、尾張《おわり》国（愛知県西部）から入ってきた大根を、聖護院に住む田中屋嘉兵衛《たなかやかへえ》という豪農が、自分の畑に植えたことにはじまるといわれる。何年かするうちに、嘉兵衛は、太くて短い大根ができるのをみつけ、その種をとって品種改良をつづけた。京都の土壌にあったのか、嘉兵衛がつくった丸い大根は品質がよく、聖護院一帯では丸い大根の栽培が一気に広まった、という。

おばんざいでよく耳にする言葉に**「たいたん」というのがある。「炊いたもの」の京都弁**だ。

「アラメとお揚げのたいたん」は、細かくきざんだ乾物のアラメと油揚げをじゃこか鰹節《かつおぶし》の出汁《だし》で炊く。味つけは薄口醤油で、隠し味に砂糖を少し加えることもあって、京都では、末広がりの八のつく日に、商売の芽がでるようにと、この「アラメとお揚げのたいたん」を食べる風習がある。

村井康彦編『京料理の歴史』には、明治生まれの女性の聞き書きがあって、「朝はお粥と梅干、若干の漬物で、味噌汁はありません。ほとんど毎日の変化はありません。昼にはひと月のうちに日によってきまりがあり、一日はにしんときざみ昆布《こんぶ》の煮たもの、二十八日は荒布《あらめ》。晦日《みそか》は棒鱈《ぼうだら》」にきまっていたという。

ほかにも、焼き豆腐と揚げ豆腐の煮物「夫婦《めおと》炊き」や、汁けが多い「水菜だぶだぶ」、サツマイモとネギの炊き合わせなど、生活に根付いた「おばんざい」は、まさにご飯の友とよぶにふさわしい。

45 「江戸患い」の原因は白いご飯だった?

長屋で人気のおかずとは

◆朝食のかたちは江戸時代に確立した

江戸時代になると、長屋暮らしの庶民も、一日三度、白いご飯を食べた。では、その食生活は、どんなものだったのだろうか。

江戸時代後期の文政《ぶんせい》年間(1818~29)に栗原柳庵《くりはらりゅうあん》が書いた『文政年間漫《まん》録《ろく》』を参考に、長屋で暮らす親子三人の大工一家の食卓をのぞいてみよう。

大工は職人のなかでも日当が高く、一日五百六十文を稼ぐ。四文がいまの百円として、約一万四千円だ。結構な金額だが、毎日働くわけではなく、雨が続けば仕事は減る。月収は二十日働いたとして二十八万円だが、当時は貨幣価値が下落傾向だったので、実際には、もっと少ない感覚だったろう。

そのころの物価は、豆腐が一丁十二文、油揚げ一枚が二文、納豆が四文、卵一個が二十文なので、卵はひとり一個とすると朝食のおかずは三人前で四十八文。イワシは十

尾で百二十文だが、サバは三百文だから、毎日食べるわけにもいかない。

朝食は、炊きたてのご飯にきざみ納豆を入れた味噌汁、漬け物。旬ならばアサリやシジミの味噌汁でもいい。昼食と夜は冷や飯で、一汁一菜が基本だ。**おかずは漬け物か、めざしなど。**天保《てんぽう》年間（1830〜43）ごろの料理番付『日《にち》用《よう》倹《けん》約《やく》料《りょう》理《り》仕《し》方《かた》角力《すもう》番付《ばんづけ》』によれば、大関は「めざしいわし」、関脇が「むきみ切りぼし」、小結が「芝えびからいり」、で、前頭には「いわし塩焼き」や「まくろすきみ（マグロのすき身）」「鰊《にしん》塩びき」「たたみいわし」などもあげられている。

精進ものは「八はいどうふ」「こぶあぶらげ」「きんぴらごぼう」、前頭には「にまめ」「ひじき白あえ」「切りぼし煮つけ」「あぶらげつけ焼」「小松菜ひたしもの」などが人気だ。

こうしてみると、**「日本の朝食」の土台は、江戸時代、すでに築かれていた**ことがわかる。

◆江戸を離れると治る「謎の病気」

一見、バランスがよさそうな和食だが、じつは、この食生活が江戸っ子の健康を害

していた。「江戸患《わずら》い」とよばれる「原因不明」の病気が流行したのだ。下半身がむくんだり、しびれたりして、突然胸をおさえて死んでしまう。「江戸患い」が噂されたのは江戸時代初期からで、とくに参勤交代で江戸で暮らす勤番武士に多かった。国許へ帰ると治ったために、「江戸患い」とよばれるようになった。

「江戸患い」の正体は、**ビタミンB1の欠乏による脚気《かっけ》**である。

勤番武士は、国許では玄米を食べていたが、江戸では精米された白いご飯を、よろこんで腹いっぱい食べた。いまのような栄養知識があるわけではないから、おかずは控えめだ。その結果、栄養が偏って、脚気になったのである。

ビタミンB1は、米ぬかやソバに多く含まれている。江戸っ子がそば好きで、ぬか漬けを毎日食べたのは、体験的に、その効能を知っていたからなのだろう。

しかし、**「江戸患い」は長い間、原因がわからず、謎の病気として恐れられた**。料理文化が花開いた文化《ぶんか》文政期（1804〜1829）でさえ、町人の間でも流行している。うまいものが食べられる環境だからこそ、かえってかたよった食事になってしまったようだ。

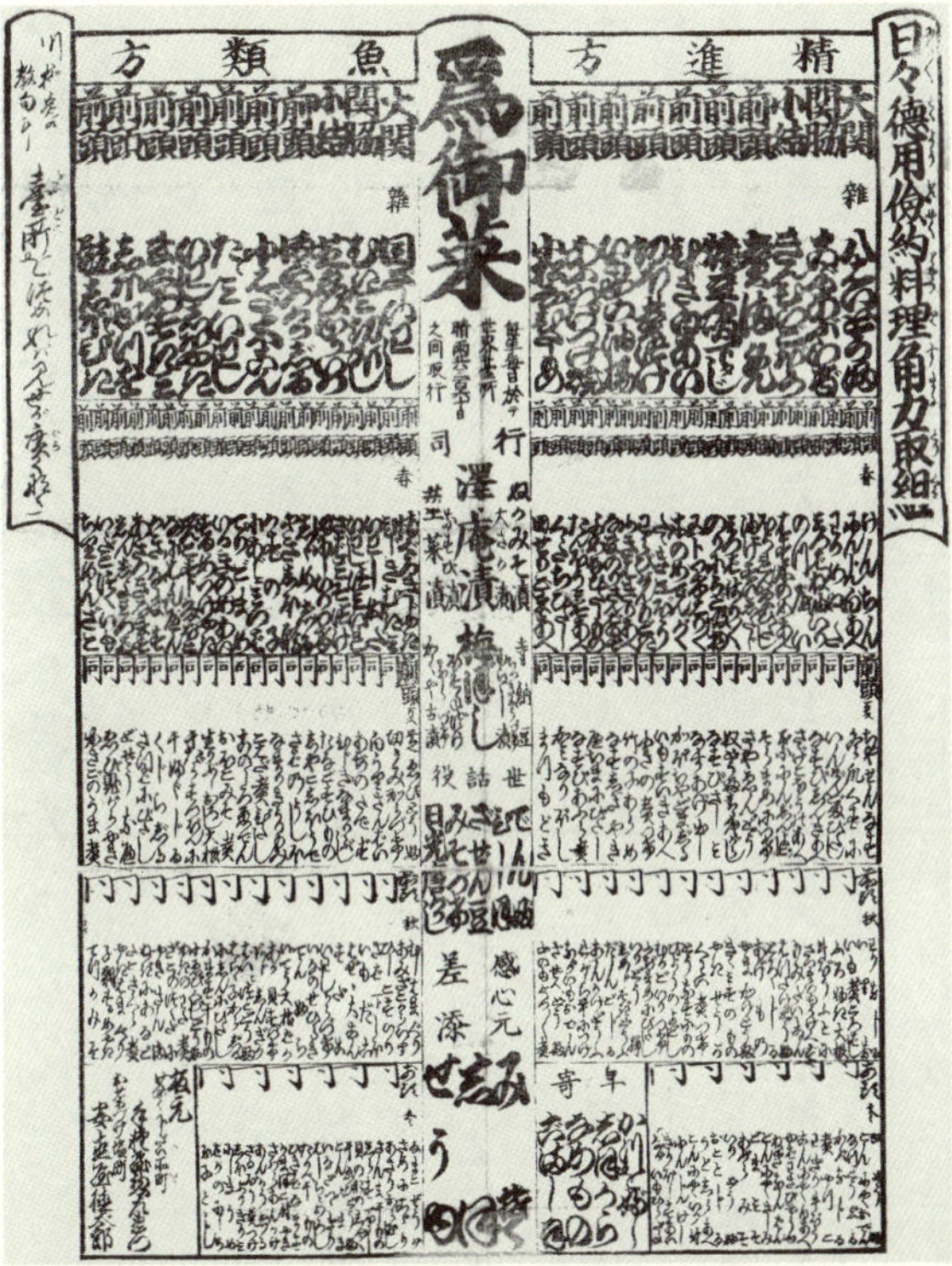

料理番付「日々徳用倹約料理角力取組」。庶民のおかずがかなり多様だったことがわかる。たくあんと梅干しは別格で行司役、味噌は勧進元で、補佐役という意味の差添は塩と醤油である（東京都立中央図書館特別文庫室蔵）

46

「赤飯」は神さまの食べ物だった?

対馬に残る古代の赤米

◆なぜ小豆が入っているのか?

日本の稲作の起源は縄文時代にまでさかのぼるが、では、古代人が食べていたのがもち米だったのか、うるち米だったのかについては、決定的な証拠がない。ただ、古来の風習をみれば、やはり、もち米だったのではないかと思えてくる。その証拠が、「赤飯《せきはん》」だ。

いまの赤飯は、もち米に小豆《あずき》を入れて炊き、うっすらと赤い「おこわ」にする。民俗学者の柳田國男《やなぎたくにお》は、『稲の日本史』のなかで、赤飯に小豆を入れるのは、「豆が入用ではない。あれは赤い色が入用だった」とし、「**初めは小豆で赤く染めなくても、米に赤いのがあって、赤いごぜんを食べるというのは何か儀式に集まるとき**」としていて、赤飯は赤米《あかまい》を再現するために、生まれたと推測している。

古来、神社で神にささげる食事「神饌《しんせん》」には、ご飯や餅がかならず含まれている。

古代の赤米は、神さまの食べ物だったわけだ。

しかし、赤米は白米にくらべて味が悪い。江戸時代になって、庶民も経済力をもつようになると、うまい白米に人気がかたよっていく。農民も、白米のほうが高値で売れるし、年貢米も白米を要求された。つまり、市場原理が赤米を駆逐していったのだ。白米を栽培していても、野生の赤米がまじることはめずらしくなかったが、明治から大正時代にかけて、赤米の取り締まりはきびしさを増し、赤米が二、三粒まじっているだけで三等米と判断された。

欧米に追いつこうとやっきになっていた**明治政府にとって、質の悪い赤米は、貧しさの象徴として、消し去るべきものだった**のだろう。

こうして、日本のほぼ全土から赤米は消えてしまい、わずかに、岡山県総社《そうじゃ》市の本《ほん》庄国司《じょうくにし》神社や長崎県対馬豆酘《つしまつつ》の多久頭魂《たくづだま》神社、鹿児島県種子島の宝満神社などで儀式用に栽培されるだけになった。

近年は、赤米や黒米《こくまい》などの「古代米」が、ビタミンやミネラルを豊富に含む健康食として注目され、駅弁やカレーのご飯にまでつかわれたりするが、安定した収穫がむずかしいため、かぎられた地域でしか栽培されていない。

47

おにぎりは平安時代からあった?

「屯食」とよばれた宮廷食

◆もち米に箸を立てた宮廷の風習

白いご飯を塩だけでにぎった「塩むすび」は、米と塩しかつかっていないのに、不思議な満足感がえられるものだ。数ある和食のなかで、日本人だけが知る味かもしれない。

白米のおにぎりが普及したのは、戦国時代後期から江戸時代にかけてだったといわれる。ただ、平安時代の貴族社会では、ときどき、「おにぎり」を食べた。「**屯食**《とんじき》」といって、**強飯**《こわいい》**を丸く握り固めて、器に盛った**。平安貴族が食べるというより、宴会のとき、庭にならべて、下僕にふるまったようだ。屯食がどういう意味なのかは、はっきりはわからないが、「屯」は、「人々が集まり、たむろする」という意味なので、いまでいえば、パーティ料理ということなのだろうか。

屯食につかわれる強飯は、水にひたしたもち米を甑《こしき》という蒸し器に入れ、下から蒸

気で蒸して炊きあげる。平安時代には、宮廷でも民間でも、うるち米ではなく、もち米が主流で、改まった席での強飯は、器に高く盛り上げて、箸を立てた。もち米なら、どんなに盛っても、箸が立ちやすい。当時はうるち米も食べられていたが、もち米が中心だったのは、こうした風習も関係していたのかもしれない。**ご飯に箸を立てるのは、葬式を思わせて縁起が悪いとされるが、平安時代では、むしろ改まった席の正式な盛り方だった**のだ。強飯を「おこわ」と呼ぶようになったのも平安時代からで、宮中の女房言葉が定着したものだ。

ちなみに、栃木県日光市の輪王寺で毎年四月二日に催される「強飯式《ごうはんしき》」は、山盛りのご飯を強引に食べさせる。

儀式は豪快かつユーモラスだ。ほら貝の音とともに山伏がうやうやしく黒塗の器を捧げ持ってあらわれる。山盛りご飯は三升もあり、もちろん箸は立っていない。裃《かみしも》姿の「頂戴人《ちょうだいにん》」たちに向かって、山伏が大げさな口上を述べ、飯と「菜」とよばれるおかずを食べろと強要する。「日光責め」とよばれるこの儀式は、日光三社権現（千手観音・阿弥陀如来・馬頭観音）と大黒天・弁財天・毘沙門天信仰が結びついたものといわれる。

48

海苔の養殖は江戸時代からおこなわれていた？

浅草海苔と紙漉きの関係

◆◆板状の海苔は江戸で生まれた

おにぎりには海苔《のり》がつきものだ。最近はコンビニおにぎりが全盛で、パリパリした海苔があたりまえのようだが、いい海苔をつかったおにぎりは、香りが断然ちがう。

鉄火巻きは賭場《とば》（鉄火場）で指が汚れないように考案された、という説もあるように、海苔でにぎれば指にご飯粒がつくこともない。沖縄のスパムおにぎり「ポーク玉子」も、しっかり海苔で固定されているから、厚切りのランチョンミートがこぼれ落ちる心配がない。ただし、「のり弁当」の場合、箸で海苔を切断しておかないと、ずるずると全部はがれてしまうのは、ご承知のとおりだ。

海苔は、古くから知られていたものの、はじめから板状に乾燥させたものではなかった。じつは海のものより川海苔のほうが、板状になったのは早く、鎌倉時代の建治《けんじ》

元年（1275）、**日蓮《にちれん》上人の手紙のなかに「河のり五でう」をもらったお礼が書いてあって、この「五でう」が「五帖」だと思われ、すでに、保存のきく板状になっていた**ことがわかる。

江戸前の浅草海苔は、江戸時代初期から、海苔ソダによる養殖がはじまったとされている。海苔ソダとは、海苔ヒビともいって、ナラやクヌギの木の枝や竹を遠浅の海に立てる道具のことだ。満潮で海中に没したソダに付着した海苔が成長するのを待ち、干潮になって、まるで葉っぱのようにたれ下がった海苔を収穫する。

この**生海苔をスダレに小分けして天日干しで乾燥させる**という方法が、いつごろ考案されたかは、はっきりしない。ただ、元禄《げんろく》十四年（1701）に刊行された宝《たから》井《い》其《き》角《かく》の句集『焦尾琴《しょうびきん》』に、「雨雲や　簀《す》に干海苔の　片明り」というのがあるので、このころにはすでに、乾燥させた海苔が出回っていたのだろう。

◆紙漉き職人の技術を応用

浅草海苔は、おもに品川沖で養殖されていた。では、なぜ、品川海苔にならなかったのか、といえば、**乾燥加工が浅草周辺でおこなわれていた**からだ。

そして、乾燥海苔の製造に一役かったといわれているのが、同じく浅草に業者が集中していた紙漉《す》き職人である。「浅草紙」は、落とし紙などにつかわれる再生紙、日用品だった。**紙漉きの技術が、生海苔を紙のように漉きとるのに応用された**ともいわれる。

浅草紙の職人たちは、「ひやかす」という言葉の生みの親でもある。

江戸市中からでた屑紙をやわらかくするため漉き返した後、しばらくは清水に浸して冷やさなければならない。こうして「冷やかして」いる間、職人たちはまったくの手持ち無沙汰だ。そこで、すぐ近くの吉原遊廓《よしわらゆうかく》に出かけ、見物したり、遊女をからかったりして時間をつぶした。これが、お金をつかう気もないのに見て回る「ひやかし」の語源になった。

ともあれ、浅草でつくられた海苔は、江戸の名物になった。あぶって酒の肴《さかな》にしたり、もみくずして味噌汁や吸い物に浮かべる。海苔巻きが登場したのは江戸後期で、酢飯に海苔をまぜてかんぴょうをいれ、薄焼き玉子で巻いた「玉子巻」というのもあった。上方《かみがた》からの「下り物」ばかりが珍重されるなか、**浅草海苔は江戸から上方に上った数少ない食品のひとつだった。**

いまは海苔といえば、有明海《ありあけかい》産の人気が高い。養殖の歴史はそれほど古くはなく、昭和二十七年（1952）に熊本県の玉名《たまな》から「すだれヒビ」を移植したのが、はじまりといわれる。海水が停滞しやすい有明海に「潮通し」とよばれる水路を整備したり、漁場の環境改善や集団管理方式を導入したりして、有明海の海苔は高い評価を得るようになった。ほかにも、宮城県、千葉県、瀬戸内海など各地で海苔の養殖は盛んにおこなわれている。

浅草海苔の店舗風景（『江戸名所図会』国立国会図書館蔵）。品川の海でとれる海苔を天日干しにし、店頭で即売していた

49

駅弁の元祖はおにぎりだった?

宇都宮駅発祥説の真偽は

◆旅館が提供した贅沢駅弁

駅弁は、やはり列車で窓の景色を見ながら食べたい。発車前にはけっして手をつけず、動き出してから、おもむろに包みをほどく。数十年の伝統を誇るものもあれば、新メニューもあって、駅弁はやはり楽しい。

駅弁の元祖といえば、いまや「宇都宮発祥」が定説だ。元祖駅弁は、もちろん餃子弁当ではなく、おにぎりである。JR東日本のサイトによれば、明治十八年(1885)七月十六日、宇都宮駅の開業にともなって、旅館「白木屋」を経営していた斉藤嘉平《かへい》が、**「黒ゴマをまぶした梅干し入りおにぎり二個に、たくあん二切れ」を添え、竹の皮に包んで販売した**という。値段は五銭だった。一銭は現在の二百円程度だから、当時としてはかなり贅沢《ぜいたく》な弁当である。

ほかにも明治十年(1877)に神戸駅と大阪駅でという説、明治十六年(188

3）に上野駅と熊谷駅でという説もあるのだが、はっきりした史料がなく、「宇都宮発祥」説は、いまのところ、くつがえる気配はない。

現在、宇都宮駅で販売している「大人の休日・駅弁発祥地より滊車辨當《きしゃべんとう》」は、黒ゴマと小梅のおにぎりにカツ、煮物などがついて税込八百円。駅弁の元祖をしのぶには手頃な値段といえるだろう。

弁当という言葉は、戦国時代にはすでにつかわれていたが、それほど一般的ではなかった。合戦にむかう雑兵《ぞうひょう》たちは、乾《ほ》し飯《いい》や味噌玉のほかに菜っ葉をまぜた菜飯《なめし》おにぎりも持参している。江戸時代に書かれた『雑兵物語』は、雑兵三十人の聞き書きという形で戦場の心得をつづった興味深い史料だが、そこには「打飼袋《うちがいぶくろ》」に入れた兵糧《ひょうりょう》を、薄い鉄製の陣笠で煮ている様子が描かれており、それぞれ工夫していたようだ。

江戸時代になると、行楽の弁当はおもに重箱で、庶民は、元祖駅弁と同じく、竹の皮で包んだ。秋田名物「曲げわっぱ」のような「面桶《めんつう》」もあって、ありあわせのものを雑多につめこむのに便利だった。

50

「松花堂弁当」ってなに？

なぜ十文字の仕切りがあるのか

◆江戸時代きっての文化人が好んだ箱

「松花堂《しょうかどう》弁当」というと、ちょっと高級なイメージがある。

しかし、『広辞苑』によると「**十文字の仕切りをした方形の縁高《ふちだか》に、料理を盛り込んだ弁当**」で、「**略式の会席料理・懐石に使用**」とあるから、本来は、あまり格式張らないものだったようだ。

松花堂弁当は、江戸時代初期の学僧・書画家で、近衛信尹《このえのぶただ》、本阿弥光悦《ほんあみこうえつ》とともに「寛永《かんえい》の三筆」とよばれた松花堂昭乗《しょうじょう》に由来するといわれる。昭乗は、和泉《いずみ》国（大阪府南西部）堺に生まれ、俗名は中沼式部《なかぬましきぶ》といった。

十七歳のとき、京都・石清水《いわしみず》八幡宮で出家し、真言密教を学んで、阿闍梨《あじゃり》法印《ほういん》になった。神社で出家というと奇妙に思われるかもしれないが、当時は神仏習合で神社のなかに神宮寺という寺があるのはあたりまえだったのだ。

空海の書に魅せられた昭乗は、大師流の書をきわめ、さらに独自の書風を確立して、名声を得る。小堀遠州《こぼりえんしゅう》に学んで茶道にも精通し、狩野派に学んだ絵も有名だった。

その**昭乗が、十字の仕切りがある四角い箱をつかっていた**のは、どうやらまちがいないようだ。ただし、農家が作物の種入れにしていた箱が気に入り、絵の具入れや煙草盆《たばこぼん》にしていただけで、弁当箱にしていたわけではない。

石清水八幡の瀧本坊《たきもとぼう》の住職を弟子にゆずり、昭乗が晩年に造営した松花堂という方丈は、現在、松花堂庭園・美術館（京都府八幡《やわた》市）になっている。そのサイトの解説にも「大正時代以降、昭乗の菩提寺である泰勝寺《たいしょうじ》（八幡市）では、同様の器がお斎《とき》（法事、法要後の会食）の器として使われている」とあり、いちおうは弁当だが、松花堂の名はついていなかった。

いまの形の**松花堂弁当がこの世に生まれたのは、昭和初期のこと**である。名料亭として名高い大阪の「吉兆」の創業者・湯木貞一《ゆきていいち》が、松花堂好みの箱に料理を盛りつけさせたのがはじまりで、その後、新聞に紹介されて、一躍有名になったという。やはり、そもそも松花堂弁当は高級料亭の味なのだ。

51

納豆は関西発祥だった？

江戸庶民の朝食の定番

◆糸引納豆は叩いて味噌汁に入れた

納豆の原料は、大豆《だいず》だ。

大豆は、古くから日本人の食生活になじんできた。味噌も醤油も、大豆があったからこそ生まれたものだ。大豆を食べるには、潰《つぶ》したり挽《ひ》いたり、炒《い》り豆にしたり、豆腐のように、液状にしてから固めるなど、いろいろな方法がある。

なかでも、**大豆を煮て藁《わら》ヅトでくるんで発酵させる「糸引納豆」は**、ちょっと変わった食べ方といえるだろう。いまは全国的に食べられている納豆だが、関西では「くさい、気持ち悪い」と敬遠される傾向が強かった。しかし、**ネバネバの糸引納豆は、もともと関西が発祥だった**のだ。

大豆を発酵させる「納豆」のルーツは、味噌と同じく、中国から伝わった豉《くき》で、寺でつくられた。京都の「大徳寺納豆」「一休寺納豆」などがそれで、「寺納豆」ともよ

ばれる。

糸引納豆と思われる食べ物は、室町時代中期の『精進魚類物語《しょうじんぎょるいものがたり》』という『平家物語』をパロディ化した御伽《おとぎ》草子に出てくるのが最初だ。**江戸時代の元禄《げんろく》三年（１６９０）に京都の「富小路通四条上ル町」に納豆売りがあらわれたのが元祖**のようで、天秤棒を担ぎ、薄く四角にまとめた納豆に刻み菜を添えて売り歩く様子が『人倫訓蒙図彙《じんりんきんもうずい》』に載っている。

しかし、京都の納豆は豆腐人気におされて、すたれてしまい、かわって江戸で人気を博し、庶民の朝食の定番になった。

ただし、**食べ方がいまとちがって、納豆を叩《たた》いて味噌汁に入れるのがふつう**だった。文政《ぶんせい》期（１８１８～２９）になると、叩き納豆はすたれて、天保《てんぽう》（１８３０～４３）以降は、いまと同じ粒納豆が主流になったと『嬉遊笑覧《きゆうしょうらん》』にある。

カラシを添えるようになったのは、享和《きょうわ》・文化《ぶんか》（１８０１～１７）のころからで、賽《さい》の目豆腐に刻み菜、カラシを添えて売る行商がいた。カラシ添えの一人前は八文で、いまなら二百円ほどと、ちょっと高く感じるが、箱から椀ですくい取って売るのが行商のやり方だから、ボリュームは満点だった。

52

佃煮が生まれたのは徳川家康のおかげ?

摂津出身の漁師がつくった小魚煮

◆◆絶体絶命のピンチに食べた家康思い出の味

佃煮《つくだに》といえば、東京の名物だが、小魚を醬油と砂糖で煮込んだものは、ワカサギの甘露煮《かんろに》やイカナゴの釘煮《くぎに》など、各地にある。

東京のものだけを、「佃煮」とよぶのは、江戸・佃島でつくられはじめたからなのだが、発祥のきっかけになったのは、あの本能寺の変なのだ。

天正《てんしょう》十年(1582)、明智光秀《あけちみつひで》の謀反で織田信長《おだのぶなが》が京都の本能寺で生涯を終えたとき、徳川家康《とくがわいえやす》は和泉国《いずみ》(大阪府南西部)の堺にいた。信長に招かれ、安土《あづち》城で歓待をうけたあと、京都に滞在し、この日は堺見物にでかけていたのだった。身の危険を感じたわずか数人の家康主従は、住吉神社参拝を装って尼崎へ向かい、そこから船で脱出する計画をたてる。

淀川から分かれる神崎川にさしかかった主従は、茫然《ぼうぜん》と立ち尽くした。川を渡る船がない。彼らが恐れたのは、落ち武者狩りである。実際、京都では明智軍による織田方の残党狩りがつづいていた。そのとき、窮状を察して船を融通したのが、摂津《せっつ》国西成郡佃村（大阪市西淀川区）の漁民だった。彼らは船だけでなく、**道中で食べられるように、と小魚を塩ゆでした保存食を手渡した**。

その後、家康一行は伊賀《いが》の山中を越えて、無事、居城の岡崎城に帰還する。

家康は、このときにうけた恩を忘れなかった。江戸幕府が開かれてしばらくたった慶長《けいちょう》十七年（1612）、家康は佃村と、隣接する大和田村（西淀川区）の漁民三十四人を江戸によび寄せ、将軍家に江戸前の魚をおさめる役目を与えた。

江戸湾を埋め立てた人工島ができたとき、彼らはそこに移住し、故郷の村にちなんで「佃島」（中央区佃）と名づけた。江戸湾のシラウオ漁の独占権を認められた佃島の人々は、最盛期を迎える秋から春にかけての季節以外にも収入源をもとめ、**普及し始めた醤油をつかって小魚煮をつくって売り、評判をよんだ**。これが佃煮である。

家康が、絶体絶命のピンチにおちいったなかで食べた小魚煮の味は、こうしてよみがえったのだ。ただ、むりやり故郷を離れなければならなかった佃村の人々にとっては、いい迷惑だったかもしれない。

53

たくあんを考案したのは異色の僧侶だった？

練馬大根と沢庵禅師

◆漬け物と香道の関係は？

漬け物は「香《こう》の物」ともいう。なんとなく上品なよび方だ。

ほかにも、「お新香」や「こうこ」など、いろいろとよび名があるが、共通しているのは「香」だ。

香道《こうどう》の作法では、香を焚《た》く前に、ぬか漬けを食べるので、漬け物を香の物というのだ、という説がある。ぬかみその香りで、鼻をリセットし、口中の臭気をはらうのが目的だ。また、茶道でもダイコンの塩漬けやぬかみそ漬けは重宝された。東山文化を築いた室町幕府の八代将軍・足利義政《あしかがよしまさ》は、茶道に入れこみ、とくに禅宗の寺でつくられていた味噌漬けを好んだという。

食べ物を塩漬けにして保存する方法は、古代から知られていたが、なかには変わった漬け物があった。「にらぎ」といって、楡《にれ》の木の皮を剝《は》いで、干して粉にし、塩をまぜて野菜などを漬けた。『万葉集』に「カニのにらぎ」の歌があり、『延喜式《えんぎしき》』には朝廷におさめる楡皮の規格が書いてあるから、実在したのはまちがいない。しかし、木の皮の粉が、どういう作用をおよぼすのか、よくわからない謎の漬け物である。

◆練馬大根の登場

江戸の町が建設されはじめたころ、大勢の人足たちが湾岸の埋め立てや大名屋敷の建築に従事した。**きつい肉体労働に汗を流す彼らは、ある男が持ち込んだご飯の友にとびついた。**ある男とは、のちに豪商にのしあがる河村瑞賢《かわむらずいけん》。もちこんだのはウリやナスの漬け物である。

一旗あげようと伊勢国（三重県）から江戸に下った瑞賢は、荷車を引いて働いたりしたが、いっこうに芽が出ない。二十歳になり、あきらめて郷里に帰ろうとした途中の小田原で老僧にさとされ、やりなおす決心をかためる。品川宿を通ったとき、瑞賢の目に飛び込んできたのは、**浜辺に打ち上げられた大量のウリやナスだった。お盆の精霊流しにつかったものが、流れ着いた**のだ。

これだ、とひらめいた瑞賢は、まだ十分に食べられるウリやナスを集め、塩漬けにして、人足たちがたむろする普請場《ふしんば》に持っていった。漬け物は飛ぶように売れ、瑞賢は商売のきっかけをつかむ。明暦《めいれき》の大火（明暦三年＝1657）のとき、木曾の材木を買い占めて復興資材を一手に引き受け、瑞賢は江戸随一の豪商になりあがったのだった。

瑞賢が商売に成功したころ、徳川綱吉《とくがわつなよし》が五代将軍の座についた。そのころ、栽培が盛んになったのが「練馬大根」だ。辛味が強く、太くて大きい練馬大根は、煮物や鍋料理にぴったりで、やがて庶民の食卓に欠かせないものとなる。

この**練馬大根をつかった代表的な漬け物が、「沢庵漬け」**だ。

たくあんとかたくわんともいう、おなじみの漬け物に名を残し、考案者ともいわれるのが、沢庵宗彭《たくあんそうほう》という臨済宗の禅僧だ。

沢庵は、戦国時代の天正《てんしょう》元年（1573）、但馬《たじま》国（兵庫県北部）出石《いずし》に生まれている。京都の大徳寺で修行し、第百五十三世住持になるが、大寺院は性に合わないと、あっさりと三日でやめてしまった。

隠棲していた沢庵が怒ったのが、江戸幕府による朝廷や寺院への規制だった。幕府

は、後水尾天皇《ごみずのお》が大徳寺や妙心寺などの僧侶に最高位を示す紫色の袈裟《けさ》を無断で下賜したとして寛永《かんえい》四年（1627）、取り消しを命じる。これに反発した沢庵は、大徳寺ほかの僧侶をまとめあげ、幕府に抗議する。江戸っ子ではないから「てめえらが口だすんじゃねぇ」とまではいわなかっただろうが、筋が通らない幕府の強制に腹が立ったのだろう。幕府が白紙撤回するわけもなく、抗議した沢庵らは流罪になった。

沢庵が許されたのは、寛永九年（1632）、六十歳のときで、その後、三代将軍・徳川家光《いえみつ》が創建した品川・東海寺《とうかいじ》の住職となる。

足利義政のころから、禅宗の寺ではダイコンの塩漬けや味噌漬け、ぬか漬けをつくっていた。おそらく東海寺でも、つくっていたはずである。**上方《かみがた》では、保存食の意味で、「たくわえ漬け」とよんでいた。**

伝説によれば、沢庵の人柄にほれこんだ家光が東海寺を訪れたとき、「たくわえ漬け」の味に感激し、「これからは、たくわえ漬けではなく、沢庵漬けとよぶがよい」といったからだ、というが、いささかできすぎの話だ。また、東海寺にある沢庵の墓石が、漬け物石に似ているから、という説もある。いずれにしても、沢庵の死後、練馬大根が登場してうま味を増したたくあんは、一気に普及していったのだ。

54

江戸時代にハクサイの漬け物はなかった?

普及したのは二十世紀になってから

◆栽培がむずかしかった漬け物の主役

いまはそうでもないかもしれないが、東北地方では、お茶うけに漬け物を出すのがあたりまえだった。ハクサイの漬け物、たくあんなどをつまみながら、茶飲み話をする。ハクサイの漬け物には醬油をかける。いまほど塩分に気をつかわない時代だったから、お茶を何杯も飲みながら、ひたすら塩辛い漬け物に手を伸ばした。

漬け物に醬油をかけるのは、じつは江戸時代の吉原《よしわら》の風習だ。花魁《おいらん》には地方出身者が多かったからなのか、塩辛いものを食べさせて、客に酒を余計に飲ませる工夫だったのかはわからない。

ただし、**江戸時代にハクサイの漬け物はなかった**。

ハクサイの原種は西アジアから中国に伝わり、紀元前から栽培がはじまっている。

品種改良の結果、いまのように葉が何層にも重なって球《たま》になるかたちになったのは、十六世紀以降のことだ。江戸時代に中国から種が持ち込まれたが、継続した栽培がむずかしく、まったく定着していない。その理由は、ハクサイがほかのアブラナ科の植物と交雑しやすい性質をもっていて、品種として維持できないからだった。

明治になっても失敗続きだったハクサイの固定品種化が、苦心の末に成功したのは大正時代に入ってからだ。宮城農学校で教鞭をとった沼倉吉兵衛《ぬまくらきちべえ》が松島湾の島に品種を隔離して継続的な栽培に成功し、**「仙台白菜」**の名で東京に出荷されたのは大正十年（1921）のことである。

関東大震災の救援物資として、大量のハクサイが東京に送られたのをきっかけに、「仙台白菜」はその後、全国的に普及する。しかし、栽培はむずかしく、あらたな品種改良が進んで、「仙台白菜」は姿を消した。こうして、二十世紀の野菜ハクサイは、漬け物や鍋物の脇役として、家庭に定着していったのだ。タキイ種苗のサイトをみると、現在、出回っているハクサイは四十一品種におよんでいる。

ちなみに、同じく「白菜」と書く中国野菜のパクチョイは、ハクサイと同様にアブラナ科だが、分類上は別物で、チンゲンサイの仲間だ。

55

初カボチャは千両の値打ちがあった？

男がカツオなら女はカボチャ

◆江戸の女房が熱中したカボチャの甘味

和菓子の甘味の基本は干し柿だという。昔の砂糖は貴重品だったし、精製技術も未発達だったから、いまのような甘味たっぷりの菓子がない時代、干し柿は最高のスイーツだった。デザート感覚の干し柿とならんで、**江戸の女性は、もっと手に入りやすい甘味として、カボチャの煮物に目を輝かせた。**甘いカボチャの煮物は、ご飯にも案外合う。

カボチャは別名を「唐茄子《とうなす》」ともいう。落語ファンにはおなじみの大ネタ「唐茄子屋政談」は、勘当された若旦那が天秤棒を担いでカボチャを売り歩く噺《はなし》。演題にある「政談」は、「大岡政談」とおなじで、後半に町奉行のお裁きがくだるからだが、省略されることが多い。

さて、カボチャが庶民の味だったのはまちがいないのだが、江戸時代には、見栄っ

張りな江戸っ子の初物好きの対象になっている。**男が初ガツオなら**（86ページ参照）、**女は初カボチャ**というわけだ。

「初かぼちゃ　女房千両でも　買う気」という川柳まである。

女房を質に入れてでも初ガツオを食べたがった江戸っ子の男は、どこにそんな金があるんだ、と震え上がったのかもしれない。

ところで、カボチャの異名には、もうひとつよく知られたものがある。ナンキンだ。「南京どてかぼちゃ」とか「芋蛸《いもたこ》南京」。南京は中国の江蘇《こうそ》省南西部にある省都のことだが、日本語には、「南京」とつく言葉がじつに多い。余興でおなじみ「南京たますだれ」、落花生をさす「南京豆」、トコジラミの別称「南京虫」などというのもある。

これらがすべて南京から渡来したわけではなく、**昔は、中国や東南アジアあたりから伝わったものを、なんでも南京とつけた**のだ。ちなみに、似たような言葉で「南蛮《なんばん》」があるが、これは、さらに南のジャワ・ルソン・シャム（タイ）などから伝わったものに冠せられた。

戦時中は、カボチャやサツマイモが貴重な代用食になった。代用食とは、米がないから代わりに主食にした食材のことである。

和食こぼればなし

古来の箸はピンセット状だった？

日本は「お箸《はし》の国」だ。といっても、日本で発明されたわけではない。元祖は古代中国で、紀元前五世紀ごろの遺跡から、竹の箸が出土している。日本古来の箸は、稲作とともに伝来したピンセット状に曲げた竹箸だとされている。いまの箸とはちがって、ものを取り分けるためにつかわれたようだ。『古事記』には、川の上流から箸が流れてきたのをきっかけにスサノオノミコトがヤマタノオロチを退治するという出雲《いずも》神話があるが、この箸もピンセット状だったと考えられている。一本だけの箸では、ふつうの木の枝と見分けがつかないはずだ、というのが根拠だ。

日本で出土した最古の二本箸は、七世紀の伝飛鳥板蓋宮跡《あすかいたぶきのみや》（奈良県）のもので、長さ30センチほどの檜《ひのき》でできている。平安時代には庶民も漆塗《うるしぬり》の椀をつかったが、箸は使い捨てで、塗箸《ぬりばし》が登場したのは江戸時代になってからだった。

CHAPTER
6

肉料理の謎

タブー視されても生き残った「薬」の味

56

天武天皇はなぜ肉食を禁止したのか？

精進料理が発展した遠因

◆貴族階級にかぎられた殺生禁断の教え

天武《てんむ》天皇四年（675）四月十七日、諸国に詔《みことのり》が発令された。

「今後、漁業や狩猟で生計をたてる者は、罠《わな》のための落とし穴や、仕掛けの槍をつくってはいけない。四月一日から九月三十日まで、すき間がせまい梁《やな》で魚をとってはならない。また、牛・馬・犬・猿・鶏の肉を食べてはならない。そのほかは禁止のかぎりではない。もし禁を犯した場合は罰せられる」

つまり、「**肉食禁止令**」だ。

意図については、いろいろと議論されている。仏教の教えでは、生き物を殺す者は罰をうけるという「殺生禁断」があり、天武天皇は、その教えにしたがって発令したというのが定説だ。肉食禁止令を発令する直前の四月五日に、僧や尼二千四百余人を招いて盛大な仏事を催しているのをみても、天武天皇と仏教のつながりがわかる。

ただ、それだけで説明できるわけではない。この禁止令は、四月から九月までの期限付きで、狩猟の獲物《えもの》としていちばん身近なシカやイノシシが入っていないのだ。

古代農耕社会では、牛や馬は大事な労働力だ。犬は畑を荒らす鳥や動物を追い払う。鶏は卵を産む。猿は人間に似ている。そんな理由から、保護する目的で禁止したのだ、ともいわれる。

しかし、肉食禁止令は、天武天皇だけにとどまらなかった。

仏教に深く帰依《きえ》して、東大寺を建てた聖武《しょうむ》天皇は、天平《てんぴょう》九年（７３７）に禽獣《きんじゅう》を殺すことを禁じ、天平十七年には三年間、一切の禽獣を殺すことを禁じている。さらには、女帝・孝謙《こうけん》天皇も殺生と肉食を厳禁した。**奈良時代は、肉食禁止令のオンパレードだったわけだが、その戒めを守ったのは、仏教に帰依する貴族階級にかぎられた。**

この時代、庶民に仏教は浸透しておらず、農民はヒエやアワなど雑穀を主食にしていたが、シカやイノシシは食べていた。その後、**仏教が広く浸透していったために、肉食のタブーは近世まで引き継がれていくが、肉食自体が途絶えることはなく、同時に、肉や鳥のかわりに、豆腐や湯葉《ゆば》などの植物性たんぱく質をつかった精進料理の発展にもつながっていく**のだ。

57 生類憐みの令で禁止されたメニューは？

鳥も卵も食べられない？

◆◆衰退しなかった元禄時代の料理

「生類憐《しょうるいあわれ》みの令」といえば、おそらく「武家諸法度《ぶけしょはっと》」などより有名じゃないかと思える江戸時代の法令だ。「天下の悪法」といわれるこの禁令を発布したのは、ご存じ五代将軍・徳川綱吉《とくがわつなよし》。

貞享《じょうきょう》二年（1685）、はじめに出た「生類憐みの令」は案外おだやかで、「将軍御成《おな》りの道筋に犬や猫がでていてもかまわない」というものだった。貞享四年一月二十八日に本格的に発令されたものも、「牛や馬がまだ死んでいないのに捨ててはならない」というもので、まだ納得できる。

ところが、殺生禁止の命令は、いきなりきびしくなる。二月四日に江戸城台所頭《だいどころがしら》が、井戸に猫が落ちて死んだ責任をとらされて遠島の刑に処せられたのがきっかけかどうかはわからないが、二月二十七日には「**生きた魚、鳥を殺して食用にしてはなら**

肉料理の謎
タブー視されても生き残った「薬」の味

ない。鶴、亀も同様」、つづいて三月二十六日には、**「鶏など飼っている鳥を殺してはならならない。卵を産んだら、育てよ。亀も同様。魚を生け簀《す》に入れて売買してはならない」**など、立てつづけに無茶なお触れが出た。

生きた魚や鳥を殺してはいけない、となれば、さぞ、料理も衰退したことだろうと考えがちだが、意外なことに、生類憐みの令がきびしさを増した元禄《げんろく》年間（1688～1703）は、『古今《ここん》料理集』や『本朝食鑑《ほんちょうしょっかん》』など、その後の和食発展の土台となった料理書が次々と刊行され、料理茶屋も出現しはじめた時代だった。

生類憐みの令に先立つ、寛永《かんえい》二十年（1643）に刊行された『料理物語』には、「獣の部」があり、シカ、タヌキ、イノシシ、ウサギ、カワウソ、クマ、犬についての料理法が書いてあって、汁や吸い物、田楽《でんがく》や貝焼きにいい、としてある。

よく知られているように、綱吉は戌《いぬ》年生まれで、とくに犬の保護にきびしかったから、**さすがに犬料理は姿を消しただろうが、その他の肉料理は、取り締まりの目がきびしい江戸以外では、あまり徹底されなかった。**

苦しめられた人々が多いのは事実だが、江戸時代の「御法度」は案外にゆるく、日本人らしい曖昧さに満ちていたのである。

58

徳川将軍の食卓に肉は出たのか?

食材選びのきびしい制約とは

◆将軍は脂が抜けた鳥肉しか食べられなかった

「目黒のさんま」は、殿さまの世間知らずを笑い飛ばす古典落語だが、いっぽうで、焼きたての旬のサンマさえ食べられない上流階級の悲哀も感じさせる。

武家の頂点に立つ将軍は、その身になにかあっては大変だと気をつかうあまり、日々の食事に厳格な制約があった。

明治時代に書かれた『千代田城大奥《ちよだじょうおおおく》』によれば、将軍は本丸《ほんまる》御殿の中奥《なかおく》で食べ、大奥で食べるのは特例だった。ご飯は釜で炊くのではなく、米をザルにとって沸騰した湯に入れて煮あげ、さらにそれを釜でしばらく蒸す、という蒸し飯だった。

おかずの食材にもきびしい掟がある。野菜や海藻では、ネギ、ニラ、ニンニク、ラッキョウなど臭《にお》いが強いものや、サヤエンドウ、ワカメ、アラメ、ヒジキをつかってはいけない。魚では、コノシロ、サンマ、イワシ、サメ、フグ、ナマズ、フナがだめで、アサリ、カキ、アカガイなどの貝類も厳禁だった。天ぷらや油揚げも、油は体に悪いという理由で食膳にのぼることはなかった。納豆もアウトだ。

では、肉はどうだったか。**基本的につかわれたのは、ツル、ガン、カモで、そのほかは、いっさいつかってはいけなかった。鶏もだめ**である。二代将軍・徳川秀忠《とくがわひでただ》が京都・二条城で饗応をうけたときの献立に「うで鴨」があるので、おそらく、これらの**鳥肉は、焼くのではなく、茹《ゆ》でたり蒸したりして、脂《あぶら》をすっかり抜いたものだった**のだろう。もし将軍がいまの焼き鳥を食べたら、涙を流して喜んだかもしれない。

ただ、江戸時代も後期になると、少し事情が変わってくる。

彦根藩では、幕府がつかう陣太鼓の牛革を献上していた。**肉はどうしたかというと、「反本丸《へんぼんがん》」という「薬」にして売っていた。牛肉を味噌漬けにしたもので、どうみても薬にはみえないが、そうした方便は、江戸時代ではあたりまえ**だった。絶倫で有名な十一代将軍・徳川家斉《いえなり》は、「反本丸」の噂を聞きつけ、彦根藩に献上を命じて届けさせたという。

幕末の大老・井伊《いい》直弼《なおすけ》（彦根藩主）が牛を殺すのを禁止するまで、将軍はもちろん、諸大名も、彦根藩の牛肉の味を楽しみにしていたようだ。

59

串に刺した焼き鳥はいつからはじまった?

焼き鳥屋の元祖「ガラ萬」とは?

将軍が食べられなかった焼き鳥は、いまや居酒屋の定番だが、串に刺して焼くスタイルはいつからはじまったのだろうか。

◆江戸時代にはなかった焼き鳥屋台

江戸時代の庶民は、串に刺した天ぷらや田楽《でんがく》を楽しんでいた。いまでも店先や屋台で、もうもうと煙をあげながら焼き鳥を引っくり返して焼いている光景はおなじみだから、江戸時代にはすでにあっただろうと思われそうだが、**串打ちの焼き鳥がいつからはじまったか、はっきりとした記録はない**。

鶏は「ももんじ屋」や料理茶屋でも食べられたが、それは、あくまで鶏料理としてだった。寛永《かんえい》二十年（1643）の『料理物語』には、「鶏」の項目があって、「汁、いり鳥、さしみ、めしにも」と書いてある。「いり鳥」は、鳥肉を細く切って醤油、砂糖、みりんなどで味つけして炒《い》りつけたもので、刻んだゴボウ、こんにゃく、茹《ゆ》でたギンナンなどを添える。「鳥刺し」や「若鶏の炊き込みご飯」は、いまでもおなじみだ。しかし、**串に刺して焼く調理法は、江戸時代の料理本にはみられない。**

料理研究家で「北大路《きたおおじ》魯山人《ろさんじん》最後の弟子」といわれた平野雅章氏は、明治生まれの古老から聞いた話として、「**東京の市中に焼きとりの屋台が盛んに現れ始めたのは、（中略）明治の末期あたりではなかったかと思います**」と記している（『和食の履歴書』）。

明治三十七年（１９０４）に刊行された『実業の栞《しおり》』という本には、「焼き鳥のはじまりは詳しくはわからないが、いまも神田仲町で焼鳥屋を営むガラ萬とよばれる髷爺（ちょんまげおやじ）が、祖父の代からこの仕事をしているというので、まず、ガラ萬が元祖だろう。万世橋付近の焼鳥屋は、みな、この老爺から広まったものだ」という説が紹介されている。「ガラ萬」とは、どんな人物だったのだろうか。ガラガラ声だったからガラ萬なのかと想像してみたりもするが、いまとなってはわからない。

「鳥肉を挽《ひ》いて刻んだネギをまぜ、玉子をつなぎにして団子にし、串に刺して焼く」という、つくねが登場したのも明治末期のことである。

60

鴨南蛮の「南蛮」ってなに？

炒めてから煮る南蛮煮の略

◆ポルトガル・スペイン人がもたらした調理法

そば屋のメニューにある「鳥南蛮《なんばん》」や「鴨南蛮」。この南蛮とはなんだろうか。

南蛮は「南方の野蛮人」を略した言葉なのだが、料理の場合は、別の意味合いをもつ。それは南蛮貿易だ。安土桃山時代、ポルトガル・スペインの商船が交易のために来航し、日本人が知らないさまざまな品物を持ち込んだ。ポルトガルはマラッカ、スペインはルソン島のマニラを拠点にし、南方から日本にやってきた。だから、彼らは南蛮人とよばれ、商船は南蛮船とよばれたのだ。

織田信長《おだのぶなが》は、南蛮船に乗って来日したイエズス会の宣教師ルイス・フロイスからガラス瓶《びん》に入れたコンペイトウを献上されて喜び、南蛮貿易を奨励した。豊臣秀吉《とよとみひでよし》も同様だ。江戸時代になって、幕府はオランダとの交易を選び、ポルトガル・スペイン船の来航を禁止して長崎に出島をつくった。この鎖国体制のはじまりで、南蛮貿易は終わりをつける。

南蛮貿易は、サツマイモ、トウモロコシ、ジャガイモ、カボチャ、スイカ、胡椒《こしょう》、トウガラシなど、いまではおなじみの野菜や香辛料を日本にもたらしたが、同時に西洋風の調理法も伝えている。**南蛮人が鳥や魚、野菜を油で炒《いた》めて煮た料理を食べているのをみた日本人は、それを「南蛮煮」とよんだ。やがて、ネギとトウガラシで煮たものを、「南蛮」と称するようになった**のだ。

ポルトガル・スペイン人が伝えた料理は、日本風のアレンジが加わりながら「南蛮料理」として定着していく。**「南蛮辛子」とよばれた焼き唐辛子に、黒ゴマや山椒《さんしょう》、陳皮《ちんぴ》（ミカンの皮）、麻の実などをまぜた「七味唐辛子」**は、江戸っ子がそばを食べるときには欠かせない薬味になった。鳥南蛮や鴨南蛮、カレー南蛮のそば・うどんは、その流れを引いたものなのだ。

キリシタン大名のすき焼きパーティ

じつは、南蛮料理は戦国大名たちのお気に入りだった。

本能寺の変の前夜、京都に遊んだ徳川家康《とくがわいえやす》は、豪商・茶屋四郎次郎《ちゃやしろうじろう》から「いま流行《はや》りの南蛮料理です」と、「鯛《たい》の天ぷら」をご馳走になった。天ぷらといっても、鯛の切り身を榧《かや》の油で素揚げしたものだったようだが、家康は、ひと口食べて感激。以来、「鯛の天ぷら」は家康の大好物になった。**家康の死因が「鯛の天ぷら」の食べすぎといわれているのは、京都で味わった南蛮料理のせい**なのだ。

キリシタン大名の高山右近《たかやまうこん》は、豊臣秀吉の小田原攻めに参陣したとき、牛肉料理を細川忠興《ほそかわただおき》と蒲生氏郷《がもううじさと》にふるまっている。『細川家御家譜』に載っている話で、どうやらすき焼きに近い料理だったようだ。

細川忠興は、それをきっかけに南蛮料理が気に入ったようで、自分の屋敷で鳥肉とオリーブオイルをつかったパエリアをつくらせた、という。

高山右近も細川忠興も、洗礼名をもつキリシタン大名だから、西洋風との垣根が低かったのだろう。

長崎貿易の主役だったオランダ人は「紅毛《こうもう》」とよばれた。彼らも、さまざまな文物を日本にもたらしている。

享保《きょうほう》元年（1716）、八代将軍・徳川吉宗《よしむね》は、長崎のオランダ商館長から牛肉、ハム、バター、ワイン、ビールなどを献上されて、おおいに喜んだという。バターの味が気に入ったのか、吉宗は、享保十三年（1728）、白乳牛三頭を輸入して、房総半島の嶺岡牧《みねおかまき》（千葉県南房総市）で飼育させた。これが日本での酪農のはじまりだ。**ミルクをつかってバターのような「白牛酪《はくぎゅうらく》」がつくられる。**はじめは将軍家に献上する分しかつくれなかったが、白乳牛の頭数が増えるにしたがって、江戸市中にも出回るようになったという。

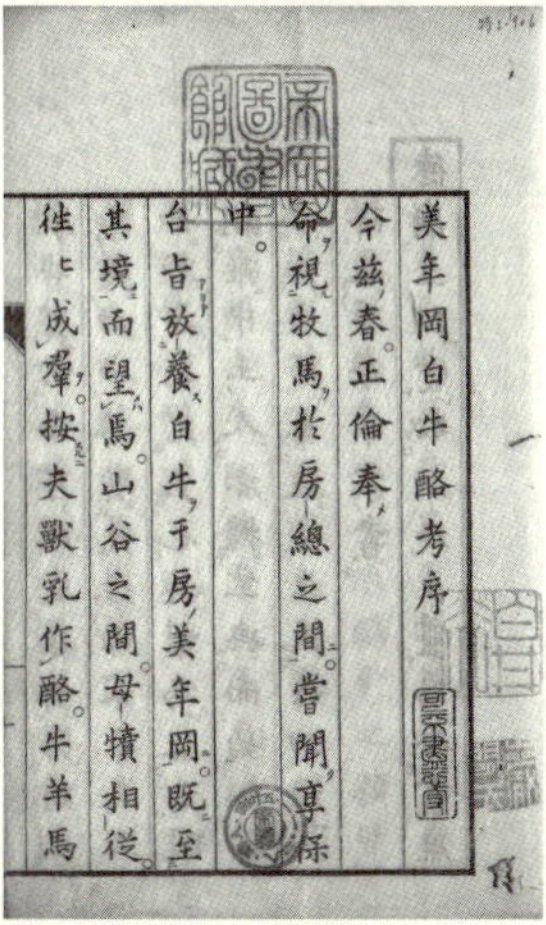
美年岡白牛酪考序
今茲春正倫奉
命視牧馬於房総之間嘗聞享保
中
台旨放養白牛于房美年岡既至
其境而望馬山谷之間母犢相従
往々成羣按夫獸乳作酪牛羊馬

第十一代将軍・徳川家斉が幕医・桃井寅に命じて刊行させた『白牛酪考』（国立国会図書館蔵）。白牛酪の製法や効能を解説している

61 江戸時代の肉料理はフランス料理のジビエに近い？

ももんじ屋のメニューとは

◆◆飲んべえはイノシシやシカの肉鍋をつついて一杯

天武《てんむ》天皇の「肉食禁止令」以来、日本人は肉食をタブー視するようになったが、厳格な戒律というわけではなかったから、肉食そのものが途絶えることはなかった。江戸の人々も、平気で肉を食べている（180ページ参照）。

肉料理専門の飲食店は「ももんじ屋」とよばれた。「ももんじ」は「ももんじい」ともいって、尻尾のはえた毛深い獣をさす。親が夜ふかしの子どもを「早く寝ないと、ももんじいが来るよ」と脅かす言葉でもあった。

江戸のももんじ屋は、麹町平河町の「山奥屋」、両国の「豊田屋」「湊《みなと》屋」などが有名だった。**店先には、大行灯《おおあんどん》に牡丹《ぼたん》と紅葉《もみじ》が赤く描かれ、「やまくじら」と大書してある。**花札の絵柄で、牡丹にはイノシシ、紅葉にはシカだから、その肉をさす判

じ絵というわけだ。「やまくじら」はイノシシの別称だ。**軒先にはイノシシとシカがそのままぶらさがっていて、大行灯の看板よりも目立ったことだろう。**寺門静軒《てらかどせいけん》の『江戸繁昌記《えどはんじょうき》』（天保《てんぽう》二年＝１８３１）によれば、大名行列が平河町を通るときには、「けがらわしい」と、殿さまが乗った駕籠《かご》を高くさしあげたという。

ももんじ屋での肉の食べ方は、角火鉢に平たい鍋をかけ肉とネギを入れて煮立てる、というもので、鍋の大きさによって、小は五十文、中は百文、大は二百文だった。四文を百円と考えると、小でも千二百五十円となかなかの値段だが、酒好きは肉鍋をつつきながら酒を飲み、下戸《げこ》は肉をおかずに飯を食べた。

店内で食べさせるだけでなく、持ち帰りもあったようで、『江戸繁昌記』には「麹町で売っている肉は、破れ雨傘の紙をつかって包んだが、いまはタケノコの皮をつかっている」とある。

フランス料理には、ジビエというジャンルがある。野鳥やシカ、イノシシなど野生の恵みをいただくもので、青首カモやシカ、マルカッサン（仔猪）など、冬の季節を感じさせる料理を、毎年楽しみにしている人もいる。江戸のももんじ屋は、それほど洗練されていたわけではないが、野生の味を楽しんだという点では共通している。

62

新選組のスタミナ源は豚肉だった？

壬生浪士は栄養失調？

◆医師・松本良順が指摘した病気の原因

慶応《けいおう》元年（1865）、新選組は住み慣れた壬生《みぶ》村（京都市中京区）から西本願寺（同下京区）に屯所《とんしょ》を移した。新屯所は本堂の北側にある集会所で、六百畳ほどの大きな建物だった。

大砲二門をつかった調練は連日おこなわれ、僧侶たちは耳をふさいで辟易《へきえき》していたが、さらに彼らを悩ませたのは、若い隊士たちの旺盛な食欲だった。**猪肉《ししにく》売りが門前にやってくると隊士たちは争って買い求め、ボタン鍋にして食べた**からたまらない。浄土真宗の総本山にいい匂いが漂って、大いに困ったということだ。

初夏のある日、医師の松本良順《まつもとりょうじゅん》が西本願寺の屯所を訪ねた。良順は長崎で西洋医学を学び、幕府典医頭《てんいがしら》に抜擢された人物で、以前、新選組局長・近藤勇《こんどういさみ》が西洋事情について教えを受けたことがあり、将軍・徳川家茂《とくがわいえもち》に随行して上洛したのを機会に招

待されたのだ。良順は近藤としばし談笑した後、屯所内を見学することになった。
「さながら梁山泊《りょうざんぱく》ですな」と目を丸くした良順だったが、横になったままの隊士が多く、なかには素っ裸で寝ている者もいるのに気がつく。「規律が乱れているのではないか」と指摘すると、近藤は苦笑いしながら、「おっしゃるとおり、といいたいところですが、じつは、あの者たちはみな病気なのです」。

驚いた良順が診察してみると、総勢百三十四名のうち三分の一が風邪《かぜ》をひいており、食あたりと梅毒患者が数人、心臓病と肺結核（沖田総司《おきたそうじ》だろう）が一人ずついた。良順は早速、病人を部屋に集めて治療法を指示し、図面を引いて西洋風の仮病室《かりびょうしつ》をつくらせた。近藤が良順を招待したのは、こうした指示を仰ぐ意図もあったのだろう。

男所帯の不潔さも病気の原因だったようで、厨房には生ゴミがあふれている。

良順は、**「この廃物をエサにして豚を飼うといい。四、五頭養って、太ったら隊士に食べさせるのです。飯粒の残りは鶏のエサにして、卵も食べること」**と、近藤に勧めた。良順の自伝にある話で、豚肉をどのように料理したかは書かれていないが、おそらく猪肉とおなじように鍋にして食べたのだろう。

63

すき焼きはなぜ牛肉なのか？

福沢諭吉がつっついた牛鍋

ハマチや鳥肉の鉄板焼きが原点

坂本九の「上を向いて歩こう」がアメリカで大ヒットしたときの曲名がSUKIYAKIだったのは有名な話だ。実際、すき焼きと聞くと料理よりも、この歌を思い出す外国人は多いだろう。

すき焼きといえば、海外では寿司、天ぷらとならぶ日本料理の代表といわれたものだが、最近はあまりそんな話を聞かない。いまは、「ビーフボウル」、つまり牛丼のほうが親しまれているのではないだろうか。

では、日本人にとって、すき焼きとはなんなのか、と大上段に振りかぶりたいところだが、そもそも、すき焼きという名称からして、非常に曖昧だ。

語源については、**農機具の鋤《すき》を火にかけて焼いた**から、というのが定説だ。

江戸時代の料理本『即席料理素人庖丁《しろうとほうちょう》』（享和《きょうわ》三年＝１８０３）につくりかたが書

いてある。ただし、メインの食材は牛肉ではなく、ハマチだ。

「三枚におろしたハマチを小口切りで二分（五〜六ミリ）ほどの刺身にし、**唐《から》すきを火にかけ、よく熱して油をなじませる。その上に、ハマチの刺身をならべて焼く**。あまり火を通しすぎてはいけない。（中略）唐すきがないときには、薄鍋、平貝の貝殻などをつかってもよい」

唐すきというのは「唐鋤」、牛に牽《ひ》かせて畑を耕す大きめの農具のことだ。

ほぼ同じ時期に刊行された醍醐山人《だいごさんじん》の『料理早指南《はやしなん》』（享和元年＝1801）をみると、「**たまり醤油に漬けた鳥肉を鋤の刃の上で焼く**」とある。この場合、鳥肉は鶏ではなく、カモやキジなど野鳥をさす。つまり、江戸時代のすき焼きに食材のこだわりはなく、いまでいえば、**鉄板焼きに近い調理法**だったことになる。もちろん、いまのすき焼きに不可欠な「わりした」などつかわなかったのだ。

◆牛鍋からすき焼きへ

すき焼きの食材が、魚や鳥から牛肉にとってかわったのは、明治の文明開化がきっかけだった。

仮名垣魯文《かながきろぶん》が明治四年（1871）に書いた『安愚楽鍋《あぐらなべ》』の序文に「牛肉食はねば開化不進奴《ひらけぬやつ》」、つまり「牛肉食わないなんてイケてない奴だよね」とあるように、牛肉食は、文明開化を象徴する食べ物だった。

このころ流行したのは、すき焼きではなく、「牛鍋」だったわけだが、明治になって急に流行《はや》りだしたわけではない。

福沢諭吉《ふくざわゆきち》は、『福翁自伝《ふくおうじでん》』（明治三十二年＝1899）のなかで、緒方洪庵《おがたこうあん》が設立した適塾の塾頭をしていたころの食生活について、次のように回想している。

「料理茶屋は最上の贅沢《ぜいたく》でめったに行けないから、普段は鶏肉屋だが、それよりもっと便利だったのは牛肉屋だ。**当時、大坂で牛鍋を食わせるのは二軒だけ**で、一軒は難《なん》波橋《ばばし》の南詰、一軒は新町《しんまち》の廓《くるわ》のそばにあった」

諭吉が適塾の塾頭になったのは、安政《あんせい》四年（1857）で、このころからすでに大坂では牛鍋を食べさせる店があったことがわかる。ただし、店そのものはかなり怪しげだった。

「およそ人間らしい人で出入りする者はけっしていない。彫物《ほりもの》（刺青《いれずみ》）だらけの町のゴロツキと緒方塾の書生ばかりが得意客だった。どこから取り寄せたのか、殺した牛

か病死した牛か、まったくおかまいなし。一人前百五十文ばかりで牛肉と酒と飯と十分な飲食だったが、肉はずいぶん硬くて臭かった」

このころ諭吉が食べた牛肉は、薄切りではなく、角切りに近いものだったようだ。

開港地・**横浜で初の牛鍋屋「伊勢熊《いせくま》」**が開業したのは文久《ぶんきゅう》二年（1862）のことだ。もとは居酒屋だったが、**主人が妻の反対を押し切って店の半分を牛鍋屋にしたところ、こちらのほうが大繁昌。**居酒屋をやめて牛鍋専門になった。

牛肉に豆腐、こんにゃく、ネギなどを加えてたれで煮るという調理法は、牛鍋とすき焼きとで共通するが、明治初年の牛鍋は、味噌仕立てである。さすがに牛肉の角切りは筋張って食感が悪いから、薄切りに進化した。

昭和二十九年（1954）刊行の『たべもの東西南北』（日本交通公社刊）には、「この鋤焼という名前は関東では余り用いられず、主として関西の方で使われていた。（中略）東京地方ではこれを牛鍋とか鳥鍋とかいわれて、すきやきといわれ出したのはかなり新しい」とある。

東京で牛鍋がすき焼きとよばれ、ごちそうになったのは、高度成長期にさしかかったころだったようだ。

64 肉じゃがの先祖はビーフシチュー？

東郷平八郎が懐かしんだイギリスの味

明治海軍の艦上食だった肉じゃが誕生伝説

肉じゃがといえば、家庭料理の定番とか、おふくろの味といわれる。ジャガイモと合わせる肉は、関西が牛肉で関東は豚肉というけれど、それほど厳密とも思えない。経営学者で、『マクドナルド　失敗の本質』の著者でもある小川孔輔《こうすけ》氏の調査をみても、かなりバラバラで、小川氏は「牛ときどき豚、鶏はほぼない」と結論づけている。

肉じゃがをめぐる伝説として有名なのが、明治海軍の司令長官だった東郷平八郎《とうごうへいはちろう》にまつわるものだ。

薩摩《さつま》出身の東郷は、明治四年（1871）から七年間にわたり、イギリスのポーツマスに留学している。ポーツマスはイギリス海軍の拠点で、海軍教育機関が充実していた。帰国した東郷は、やがて第一艦隊兼連合艦隊司令長官に抜擢される。日露戦争が目前に迫った明治三十六年（1903）のことだ。

東郷の名を一躍高めたのが、明治三十八年（１９０５）の日本海海戦だ。ロシアの強力なバルチック艦隊の通過コースを読み、捨て身の丁字《ていじ》戦法で撃滅したのだ。このニュースは世界をかけめぐり、大絶賛をあびた。アジアの弱小国日本の艦隊が、帝政ロシアの大艦隊を破ったのだから、無理もない。ラグビーW杯で日本が南アフリカに勝ったようなものだ。

その**東郷が、艦上食としてつくらせたのが、肉じゃが**だといわれる。日清戦争のとき、すでに東郷は防護巡洋艦「浪速《なにわ》」の艦長だったので、おそらくそのころのことだろう。イギリスで食べたビーフシチューの味が忘れられず、栄養的にもいいと、レシピを書いて料理長に渡した。しかし、**ドミグラスソースのつくりかたがわからない。そこで、醤油と砂糖で味つけして煮込んだのが肉じゃがのはじまり、**というわけだ。

しかし、この伝説には異論もある。すでに、ハヤシライスは登場しており、料理長がドミグラスソースを知らないのは不自然、というものだ。

日露戦争を勝利にみちびいた東郷は神格化され、伝記にも脚色が多い。あるいは、すでに艦上食として定着していた肉じゃがに、東郷の威光を重ねたのかもしれない。東郷がイギリスでの食事を懐かしがったかどうかも、いまではわからない。

和食こぼればなし

江戸の燃料事情はどうなっていた？

江戸時代の長屋には「へっつい」という竈《かまど》があって、長屋の場合、戸口の横に二口から三口の竈がならんでいた。江戸では壁を背にして設置されていたが、京都・大坂では居間を背にして「竈突《くど》」が土間に設置されていた。いまでいう対面キッチンのようなものだ。燃料は薪《まき》か炭《すみ》で、棒手振《ぼてふ》りの行商が売りにくる。火おこしにつかうのはカンナ屑や杉の葉だった。

江戸後期の大工の親子三人暮らしの場合、味噌醤油などと薪炭《しんたん》代の合計は年間で七百匁《もんめ》、月にならせば銀五十八匁で、およそ一両だ。いまならおよそ四万円ほどという計算になる。庶民が重宝したのが「炭団《たどん》」だ。炭のきれはしや粉を丸めたもので、炭にくらべれば火力は落ちるが、火もちはいい。炭団は一個が一文から四文ほどで、行商から買ったが、裏長屋の住人が毎日つかうには少し高い。そこで、庶民は炭の粉をかためて手製の炭団をつくっていた。

CHAPTER

7

鍋物と「おでん」の謎

湯気の向こうにみえる素朴な幸福

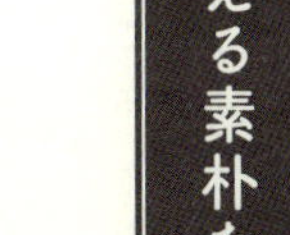

washoku

65

芭蕉はなぜフグを食べなかったのか？

俳聖が頑固に拒否した理由

◆武士はフグが食べられなかった

秋が深まれば、「鍋が恋しい季節」の到来だ。最近はキムチ鍋や豆乳鍋も人気で、バリエーションは豊富。鍋奉行《なべぶぎょう》に灰汁代官《あくだいかん》が揃い踏みすれば、宴会はさらに盛り上がる。なかでも、フグちりが最上等と言い張る人がいる。関西でいう「てっちり」だ。たしかに、淡白な白身やゼラチン質が豊富な皮、白子《しらこ》も味わい深い。

ところが、かの有名な**松尾芭蕉《まつおばしょう》は、まったくフグを食べようとしなかった。**フグ汁を食べる席によばれても、箸をつけるどころか見向きもしない。

「河豚《ふぐ》汁や　鯛《たい》もあるのに　無分別」

ほかにも鯛があるのだから、なにもフグを食べることはなかろうに、と一句詠《よ》んで、上から目線で食べるのを拒否する。

フグの肝《きも》や卵巣には、猛毒テトロドトキシンが含まれている。江戸の人々も、それ

は十分に知っていた。しかし、町人たちは、毒にあたるのを覚悟のうえで命がけでフグ汁を食べた。それほどうまかったのだ。**てっちりの「てつ」は鉄砲のことで、「あたると死ぬ」から**だというのは、ご存じのとおり。

芭蕉がフグを食べなかったのには理由がある。そもそも芭蕉は若いころ、伊勢・伊賀二国（三重県）を領した津《つ》藩藤堂《とうどう》家の台所方に出仕していたという。料理人だったからフグの怖さを知っていた、というわけではなく、**武士はフグを食べるのを禁止されていた**。主君の御恩にむくいるために命をかけるべき武士がフグの毒にあたって死ぬのは恩知らずにあたり、それで死んだりすると家禄没収、御家断絶という、きびしい処罰が待っていたのである。元武士の芭蕉は、その習いを忘れていなかったのだ。

しかし、抵抗もむなしく、ある日、芭蕉はフグ汁を食べてしまう。

「あら何ともなや　きのふは過《すぎ》て　ふくと汁」

あらら、なんともないじゃないか。今日も無事生きている、とひと安心。「ふくと汁」は「フグ汁」と「福と知る（幸福なぐらいうまいと知る）」をかけている。表向きの理由とは別に、やっぱりちょっとフグ毒が怖かったようだ。

66

「てっちり」や「たらちり」の「ちり」ってなに？

鍋をめぐる関西と関東

松尾芭蕉《まつおばしょう》がこわごわ食べて、幸せいっぱいになった「てっちり」（202ページ参照）。「てつ」は鉄砲のことだが、では、「ちり」とはなんなのか。

答えは単純で、**煮立った鍋のなかで切り身がちりちりと縮む**からだ。

「ちり」がつく鍋は、ほかにも、「たらちり」や「かにちり」などがある。「たらちり」は、てっちりとちがって、庶民の鍋の代表格で、居酒屋のメニューでもおなじみだ。

◆「ちり」と「寄せ鍋」のちがい

「ちり」がつく鍋は関西風の水炊きが基本である。昆布出汁《こんぶだし》の鍋で煮て、ポン酢で食べるのだ。いっぽう**関東では、「寄せ鍋」系が主流で、出汁に醬油で味をつけて煮る。**また、「たらちり」以外は、「かに鍋」とか「ふぐ鍋」と「鍋」をつけることが多い。たまに、「チゲ鍋」と書いてある店があるが、韓国語でチゲは「鍋」だから、「なべ鍋」といっているようなものでこれはおかしい。

ほかに、「鳥すき」とか「うどんすき」などのように、「すき」をつけるものがある。「うどんすき」は昭和三年（１９２８）、大阪の「美々卯《みみう》」で考案されたとされていて、現在は商標登録されている。

いまは、関東も関西も「すき焼き」だが、**昭和十年ごろまでは東京では「牛鍋」が主流だった。「すき」をつける鍋料理は関西風**ということだ。

江戸時代には「どじょう鍋」が流行している。ドジョウの骨を抜いて開き、笹がきゴボウを敷いた土鍋にドジョウをならべて卵とじにする。つまり「柳川《やながわ》」だ。**福岡県の水郷の町・柳川市が本場だと勘違いする人もいるが、じつは柳川は店の名前だった。**『守貞謾稿《もりさだまんこう》』によれば、天保《てんぽう》（１８３０～４３）のころに江戸で骨抜きドジョウを売っていた男が料理茶屋を開き、その屋号を「柳川」といったという。ただ、これには諸説あって、はっきりしない。

江戸の「どじょう鍋」は、ひと鍋二百文が一般的だった。江戸後期の貨幣価値を考えれば、いまなら四千円前後で、けっこう高級な料理だった。

67

「ねぎま」の正体とは？

関東と関西でちがう冬の家庭料理

◆◆文豪と食通の「ねぎま」体験

「ねぎま」というと、焼き鳥を思い浮かべる人がほとんどかもしれない。ネギと鳥肉を交互に串に刺して焼く。「ねぎ」はネギだが、では「ま」はなんだろうか。「間」じゃないかと思ったら大間違いで、**じつはマグロの「ま」なのだ。**食通で有名な北大路《きたおおじ》魯山人《ろさんじん》は「鮪《まぐろ》を食う話」のなかで、こんなことを書いている。

「まぐろの腹部の肉、俗に砂摺《すなずり》というところが脂身であるゆえに、木目のような皮の部分が噛《か》み切れない筋となるから、この部分は細切りして、『ねぎま』というなべものにして、寒い時分、東京人のよろこぶものである」（『魯山人著作集』第三巻）

と書いていて、**ネギとマグロの脂肪を合わせて、「すき焼きのように煮て食う」のが「ねぎま」**だという。魯山人は、京都生まれの京都育ちだが、大正十四年（1925）、東京の赤坂山王台（千代田区永田町）の高級料亭「星岡茶寮《ほしがおかさりょう》」を借りて、主宰

鍋物と「おでん」の謎

湯気の向こうにみえる
素朴な幸福

する美食倶楽部の会員制料亭とし、のちに鎌倉に住んだ。

「ねぎま」の正体は鍋だったわけだ。『広辞苑』にも「葱《ねぎ》と鮪の肉とを鍋で煮ながら食べる料理。ねぎまなべ」とある。

ところが、東京生まれの文豪・谷崎潤一郎《たにざきじゅんいちろう》はまったく別の証言をしている。

「関東だきの身に『葱鮪《ねぎま》』というものがある。鮪の身と東京葱を一本おきに二本串に刺したものであるが……」（『谷崎潤一郎随筆集』）

つまり、**ネギとマグロを交互に二本串で刺したものが、おでん**（関東だき）**の具になっていた**というのだ。谷崎は、大正十二年（1923）の関東大震災後、関西に移住している。だから、上方《かみがた》の「葱鮪」には違和感を感じたようで、「**昔東京で葱鮪といえば吸い物椀にきまっていて、これは鮪のとろと葱を汁にしたもの**である。関西ではすき焼鍋に葱と鮪と豆腐を入れてグツグツ煮て食べるのを『葱鮪』といっているらしく」と記し、実際に「大阪人の家庭」でごちそうになったと書いている。

ふたりの著名人が表現する東京と大阪の「ねぎま」は微妙にちがう。つまり、「ねぎま」の正体は、まったく錯綜《さくそう》しているのだ。あるいは、谷崎がいうように、昔は吸い物で、のちに魯山人がいう「すき焼き風」になったのだろうか。

68

アンコウの「七つ道具」とは？

捨てるところがない関東の美味

◆茨城名物「どぶ汁」と西の横綱「アラ鍋」

「鮟鱇《あんこう》は　唇ばかりが　残るなり」（『誹風柳多留《はいふうやなぎだる》』）

アンコウは歯がついた唇と骨以外は、ほとんど食べられる。この川柳は、そんなアンコウの特色だけでなく、吊るし切りにされて、口と背骨だけがぶらさがった様子も描写しているのだろう。

身が柔らかいアンコウは、まな板ではさばけないから、天井から吊るした鉤《かぎ》にひっかけて、さばいていく。**「アンコウの吊るし切り」は、江戸時代前期の『本朝食鑑《ほんちょうしょっかん》』ですでに紹介されている**ので、かなり古い技法なのだろう。江戸っ子もアンコウ好きで、鍋にして食べた。

俗にいう**「アンコウの七つ道具」は、柳肉《やなぎにく》（大身）、皮、肝《きも》、あご肉（ブリブリ）、ひれ（トモ）、卵巣（ぬの）、胃**のことだ。

関東では茨城県が有名で、アンコウ鍋や、豊富な不飽和脂肪酸を含む新鮮な「あん肝」が自慢だ。また、「どぶ汁」は、水を使わず、肝と味噌をベースに具材を煮込む郷土料理で、茨城では冬の定番になっている。

東京では、やはり神田の「いせ源」だろう。前身は天保《てんぽう》元年（1830）に中橋広小路（中央区京橋三丁目付近）で開業した「いせ庄」というドジョウ屋で、二代目・立《たち》川源《かわげん》四郎《しろう》のときに神田連雀《れんじゃく》町（千代田区神田須田町一丁目・神田淡路町二丁目付近）へ移転した。このとき、「いせ庄」の「いせ」と「源四郎」の「源」を合わせて、「いせ源」と改名している。アンコウ鍋専門店になったのは、大正時代の四代目からである。

捨てるところがない魚といえば、**「アラ鍋」は西の横綱**だ。

関東ではクエといい、大きいものでは体長1メートル、重さは20キロを超える。

アンコウとちがうのは、骨から良好な出汁《だし》がとれることだ。昆布《こんぶ》出汁と骨からとった出汁を合わせて鍋にすると、脂ののった白身が美味で、ゼラチン質が豊富な皮や内臓は、焼いたり茹《ゆ》でたりして食べる。

アンコウとクエ、東西のゼラチン質鍋は、どちらもかなりうまい。

69

ちゃんこ鍋の語源はなにか？

大人数で食べる経済的なスタミナ食

「中華鍋」説と「おじちゃん」説

主人が相撲部屋出身の料理店で「ちゃんこ」を食べると、その味の深さに驚かされる。一般客用にアレンジしてあるとはいえ、さまざまな具材からしみだしたうま味が渾然《こんぜん》となったスープは、飲み干すと喉が鳴る。

よく「ちゃんこ鍋」というが、これは、ちゃんこ料理店などで便宜上つかわれるだけで、**本来は「ちゃんこ」といい、相撲部屋でつくられる料理の総称のこと**だ。

語源には、おもにふたつの説がある。

まず、江戸初期に長崎に伝わった「中華鍋」をさすという説。「ちゃん」は中国語で「中国」または「清国」をさし、「こ」は、鍋の中国語「クォ」にあたる、というものだ。明治時代に長崎巡業で中華鍋をつかった料理を味わった力士たちが、それをヒントに鍋料理を考案したという。

もうひとつは、料理担当のベテラン力士が由来という説。「おじちゃん」とか「お父ちゃん」という意味での「ちゃん」に、親しみをこめた「公」をつけて「ちゃん公」になったというものだ。一般には前者の説が有力で、相撲ファンの間では後者が支持されているという。明治時代の名横綱・常陸山《ひたちやま》が「大人数で食べられるし、経済的」と考案し、たちまち各部屋に広まった、ともいわれる。

「ちゃんこ」の基本は、魚、鶏、野菜をつかった水炊きで、「手をついて四つんばいになると負け」というイメージから、以前は牛や豚はつかわれなかった。しかし、最近は、そんな験担《げんかつ》ぎよりは栄養が大事というわけで、縛りはなくなっている。

鶏ベースの水炊きを「ソップ炊き」とよぶのは、オランダ語でスープはソップだからだ。これも長崎がらみである。**やせ型の力士を「ソップ」とよぶのは、鶏ガラを連想させるから**、というが、鶏ガラのようにやせた力士はあまり見たことがない。ちなみに、**太った力士を「アンコ」とよぶのは魚のアンコウからの連想**だ。

高砂《たかさご》部屋の「鳥ソップ炊き」、伊勢ケ濱《いせがはま》部屋の「鶏団子塩炊き」、春日野部屋は「豚味噌ちゃんこ」、錣山《しころやま》部屋は「担々ちゃんこ」など、各部屋には定番のちゃんこがあり、後援会に入れば、食べるチャンスはある。

70 モツ鍋とモツ煮込みの謎とは？

焼け跡闇市の名残の味

◆「ほお（う）るもん」説はまちがいだった？

平成四年（1992）、東京で突如として「博多もつ鍋」ブームが起きた。世はバブル崩壊直後で、家庭用の土鍋が急に売れだした時期でもあり、その年の「新語流行語大賞」に入賞するほどだったが、BSE（牛海綿状脳症）問題でブームは尻すぼみになってしまった。「博多もつ鍋」は、牛や豚のモツを、ニンニクやトウガラシの効いた出汁《だし》に入れ、キャベツ、ニラとともに煮込む。鍋の上で一列にならんだニラの緑がトレードマークだ。

モツ鍋やモツ煮込みは、もちろん博多の専売特許ではなく、各地にある。モツ焼きを「ホルモン焼き」というのは、大阪弁で「捨てるもの」を意味する「ほお（う）る（放る・抛る）もん」からきているという説がしばらく定着していたが、これはどうやらまちがいで、**甲状腺ホルモンなどというような内分泌物質のほうをさすようだ。**

モツ鍋やモツ煮込みが普及したのは、肉食のタブーがなくなった明治時代からといわれる。終戦直後の東京では、焼け跡闇市でモツ煮込みや焼き鳥が売られていた。いまでもＪＲ有楽町駅から新橋駅にかけて、ガード下に焼き鳥屋が多いのは、その名残だ。

有楽町駅前の東京交通会館は、闇市が立っていた場所で、そこから立ち退いてガード下に店を構えたところが、いくつか残っている。

「ミルクワンタン鳥藤《とりふじ》」もそのひとつだ。以前は昼も営業していたが、いまは夜の居酒屋営業のみになった。ミルクワンタンは、その名のとおり、ワンタンのスープが牛乳で、モツ煮込みがちょいとかけてある。ゲテモノ風に思われるかもしれないが、レンゲでかき混ぜると、熱いミルクに煮込みの汁が溶け込んで、いいあんばいのスープになる。「じつは、**モツ煮込みのほうにも隠し味でミルクが入っているから合う**んですよ」と、だいぶ前に亡くなった先代の主人から聞いたことがある。煮込みもミルクワンタンも、闇市のころからのメニューだという。

近年の居酒屋ブームで、煮込みが再評価されているようだが、行列やランキングに踊らされず、そのへんの店のモツ煮込みで一杯やるほうが、気が楽なものである。

71 「ふわふわ豆腐」にかけた香辛料とは？

魯山人が勧める湯豆腐の流儀

◆『豆腐百珍』に紹介された絶品豆腐料理

豆腐料理は、江戸時代に『豆腐百珍《ひゃくちん》』がブームになって以来（114ページ参照）、さまざまな調理法が開発されてきた。

そのなかに「**ふわふわ豆腐**」というのがある。「卵と豆腐を同量ずつまぜ、よく擂《す》り合わせ、ふわふわ煮にする。これに胡椒《こしょう》をふって出す」というものだ。江戸食文化研究家の松下幸子氏の検証によると、豆腐を裏ごしして卵とまぜて土鍋で煮ると、倍ぐらいにふくれあがるそうなので、まさにふわふわの豆腐が楽しめるわけだ。

江戸時代に胡椒があったのかと驚かれるだろうが、うどんの薬味として、かなり早くから親しまれていた。粉にした胡椒のほかに、実をつぶしただけの割胡椒があり、汁物や鍋物につかわれている。

豆腐で鍋とくれば、やはり「**湯豆腐**」だろう。幕末の軍略家・大村益次郎《おおむらますじろう》は湯豆腐が大好物だったというのも有名な話である。『豆腐百珍』でも、「絶品」として紹介されている。「京都ではただ湯豆腐、大坂では湯やっこという」と紹介しているが、いまのやり方とちがうのは、**葛湯《くずゆ》で茹《ゆ》でる**点だ。

北大路魯山人《きたおおじろさんじん》が、「湯豆腐のやり方」(『魯山人著作集』第三巻)で、湯豆腐の流儀を述べているので紹介しておこう。

「……火力の強い火の上にかけ、鍋の蓋をしておく。約五分位で、火さえ強ければ、初めてぽっと煮え上がる。その時豆腐を箸でおして見ると軽い弾力ができていて、肴《さかな》の白子かクリームのようにぽとぽとしていい煮え加減になっている、その刹那がうまい」「だから最初から一時に鍋の中に豆腐をたくさん入れることはよくない。酒の肴にするような場合は、三切れか四切れずつ食べては入れ、食べては入れ、食べるほどに少しずつ持って来ることを心がけなくてはならん。この心がけあれば、葛を入れて豆腐の鬆《す》を防ぐトリックを用うるまでもない」

魯山人好みが影響したのかどうかはわからないが、京都では湯豆腐に葛をつかう方法は、ほとんどみられなくなったようだ。

おでんはなぜ関西で「関東煮」とよぶのか？

もとは田楽の女房言葉

72

◆明確に線引きできない関東風と関西風

食通で有名だった北大路魯山人《きたおおじろさんじん》は「鍋料理の話」と題した随筆のなかで、こんなことを書いている。

「……『なべ料理』は出来たて、煮たてと、すべてが新鮮だからいいので、おでん屋というものがはやるのも、ここに一因があるわけだ。あれは決して料理がいいからはやるのではない。あの安料理のおでんが美味いのは、つまり、出来たてを待っていて食うというところにあるので、実際は美味いものでもなんでもないのである」

京都出身の魯山人は、ずいぶんと「おでん」に冷たかったようだ。

関西では、関東でいうおでんを「**関東煮**《かんとだき》」とよぶ。ということは、おでんは関東発祥なのかと思いそうだが、その由来をたどるとかなり錯綜《さくそう》してくる。

おでんという言葉は、もとは「田楽《でんがく》」からきている。**田楽の「でん」に女房言葉の「お」をつけたので、「おでん」になった、**というのが通説だ。

汁に入れて煮込むようになったのは明治二十年（１８８７）、東京・本郷の「呑《のん》喜《き》」が元祖といわれる。**いまのおでんに近いものが関西に伝わったのは大正になってから**だという。田楽と区別するために「関東煮」とよぶようになったわけだ。ただ、弘化《こうか》元年（１８４４）創業の大阪・道頓堀《どうとんぼり》「たこ梅《うめ》」には、中国広東《カントン》の料理をまねた「**広東炊き**」が由来と伝わっているそうなので、はっきり断定はできない。また、明治十六年（１８８３）創業の京都「蛸長《たこちょう》」では、当時から「**おでん**」と称して売っていたという。

よく、関東は鰹節《かつおぶし》に濃口醬油、関西は昆布《こんぶ》と鰹節の合わせ出汁《だし》と薄口醬油といわれるが、おでん（関東煮）の場合、それほど明確な線引きはない。道頓堀の「たこ梅」は鰹節出汁のみだし、関西風おでんで知られる昭和四年（１９２９）創業の東京・銀座「一平《いっぺい》」は、鰹節の出汁に塩、酒、みりんをつかっている。大正十四年（１９２５）創業の老舗《しにせ》、銀座「お多幸《たこう》」は、昆布と鰹節に薄口醬油と砂糖で汁をつくっている。おでんと関東煮の由来は、おでん鍋と同様に混沌としている。

73

がんもどきの正体とは？

雁の肉に似せた精進料理

◆◆関東では「がんもどき」、関西では「ひろうす」

おでん種の人気投票をすると、かならず上位にくるのが「大根と卵」だ。「最初に注文するおでん種」ならば、一位と二位は確実である。その次にこんにゃく（しらたき）か、ゴボウ巻（ゴボ天）などのつけ揚げ系といったところだろうか。ちなみに、平成二十七年（２０１５）のコンビニおでんの売り上げランキングは、各社とも一位が大根で、二位卵、三位しらたきの順になっている。

そのなかで、微妙な位置にあるのが、がんもどきだ。

水を切った豆腐をくずし、すったヤマノイモやニンジン、ゴボウ、キクラゲなどのみじん切りを合わせ、油で揚げる。ゴボウ巻などにくらべて、食感はやわらかく、出汁《だし》もよく吸う。ただ、「かならず注文する」という人はどれぐらいいるだろうか。コンビニランキングでも下位に沈んでいるようだ。

がんもどきは「雁擬」と書き、「雁の肉」に似せてつくった精進料理が起源だ。肉食が禁じられた僧侶が、肉や魚にみたてた料理をつくったのがはじまりで、ほかにも、豆腐に海苔《のり》を張りつけて、たれをつけて焼く「ウナギもどき」などがある。

関西では、「飛竜頭」と書いて「ひりょうず」とか「ひろうす」などとよばれる。

江戸時代の料理書『豆腐百珍《ひゃくちん》』にも「飛竜頭」のつくりかたが出ているので、そのころにはすでに一般的だったようだ。

ただし、『豆腐百珍』のレシピは、「皮牛蒡《かわごぼう》の針切り、銀杏《ぎんなん》、木耳《きくらげ》、麻の実」などのかやくを、水をしぼってすった豆腐で包み、適当な大きさに丸めて揚げる、というもので、いまのように、かやくをまぜこむわけではなかった。またの名を「豆腐巻という」と付記されているのは、この調理法を表現したものだろう。

「ひろうす」の語源は、ポルトガルの砂糖菓子「フィロウス」だというのが定説で、だとすれば、その音にあてて「飛竜頭」と書くようになったのかもしれない。「ひろうす」は、京都ではおでん種というより、「おばんざい」の食材として重宝されている。

74 はんぺんはなぜハンペンか？

駿河の半平が考えたから？

◆東京の浮きはんぺんと静岡の黒はんぺん

関東のおでんで欠かせない具のひとつが、はんぺんだ。アオザメ、ホシザメ、アカザメなどの肉をすり身にし、ヤマノイモや卵白などを加え、熱湯の上に浮かべて茹《ゆ》でてつくる。

江戸のはんぺんは、元禄《げんろく》時代（1688〜1703）からつくられはじめたといわれる。

はんぺんの語源については、じつにさまざまな説がある。代表的なのは、江戸時代に駿河国《するがのくに》（静岡県北東部・中部）の料理人、**半平《はんぺい》が考案した**というものだ。また、『守貞謾稿《もりさだまんこう》』では「椀のふたにすり身をつめてつくるもので、**断面が半円形だから**」、『嬉遊笑覧《きゆうしょうらん》』では、**ハモの肉でつくるから「ハモヘイ（鱧餅）」の訛《なま》り**か、としている。

食物史研究家・篠田統《おさむ》の証言によれば、昔は、すり身を湯に放して固めたものを

「くずし」とよんでいたという。はんぺんも「くずし」の一種というわけで、いまは「浮きはんぺん」とも呼ばれる。

関東でいうはんぺんは、**関西では「しんじょ」**だが、東京のものほどフワフワしていない。名古屋で「はんぺん」といえば、「平天《ひらてん》」「丸天《まるてん》」など魚のすり身を揚げたつけ揚げのことだ。

関東のはんぺんはふつう白いが、最近知られるようになった**静岡おでんは「黒はんぺん」が特徴**だ。はじめてみた人は驚くというか戸惑うだろう。半月状のはんぺんに串が刺さっているのだ。黒はんぺんはサバやイワシのすり身をつかっていて、むしろ、つみれに近い。

平成二十八年（２０１６）に第十回をむかえる「静岡おでんフェア」では、まず第一に「黒はんぺんが入っている」こと、「黒いスープ」「串に刺してある」「青海苔《のり》、だし粉をかける」「駄菓子屋にもある」という静岡おでんの「五ケ条」を制定している。

海外からの観光客は、かまぼこの食感が「ゴムのようだ」と嫌うが、はんぺんのほうは、「マシュマロみたいでおいしい」とよろこぶそうだ。

75

ちくわとちくわ麩はどうちがう?

おでんの脇役か主役か

◆かまぼこのルーツはちくわだった?

子どものころ、通学路の途中に水産加工場があり、小銭を手にのせて小さな窓に突っ込むと、できたてのちくわを売ってくれた。熱々のちくわをほおばりながら、小学校に向かう。いま思えば、あれは風通しの窓で、小銭は加工場で働いているおばちゃんの臨時収入になっていたのだろう。しばらくすると窓は閉じられたままになったから、かなりがっかりしたが、熱々のちくわの味は、じつにうまかった。

ただ、いま現在、おでんを食べるときに、「ちくわははずせない」と考えるかといえば、そうでもない。ましてや、東京のおでんにかならず入っているちくわ麩《ぶ》となると、まったく食指が動かない。

ところが、**東京生まれの人にとってちくわ麩は「はずせない」もののひとつ**で、郷愁をさそうものらしい。大阪の関東煮《かんとだき》における牛すじやコロ、静岡おでんの黒はんぺんと同じく、ちくわ麩は東京おでんを象徴する種なのだ。

ちくわは漢字で書けば「竹輪」。その名のとおり、スケソウダラやホッケ、サメなどの魚のすり身に卵白や塩、砂糖などをまぜ、竹などの棒を芯にして塗りつけて成形し、焼いたり蒸したりして製造する。中国・四国地方などでは芯がついたまま売られているところが多い。

形や長さは地方によってさまざまで、たとえばトビウオ（あご）のすり身をつかう島根県の「あご野焼き」は、長さおよそ70センチ、長径7～8センチという巨大ちくわで、山陰地方の地酒がまぜ込んである。

ちくわは、かまぼこの一種だが、むしろ原型に近いといえるだろう。

かまぼこは漢字で書けば「蒲鉾」で、言葉の成り立ちはウナギの蒲焼《かばやき》と同じく、ガマの穂に似ているからだ。魚をすり身にして、古くはちくわのように竹の棒に塗りつけ、焼いて食べるという方法は、**串に刺して火であぶる焼魚から一歩進んだ加工食品の元祖**のようなものだろう。蒲鉾の「鉾」は、古代の諸刃《もろは》の武器で、古墳などから出土する「銅鉾」などが知られる。そのためか、神功《じんぐう》皇后以来という伝説があるほどだ。

室町幕府に仕えた伊勢《いせ》貞頼《さだより》の『宗吾《そうご》大草紙《おおぞうし》』に「蒲鉾は鯰本《なまずもと》也」とあるように、

京都ではナマズがいちばんとされていた。**すり身を板に塗りつけて焼くようになったのは戦国時代からで、江戸前期に茹《ゆ》でる方法へと変わり、幕末ごろには蒸すようになった。**かまぼこは、板の上にのるようになったが、ちくわは原型をとどめたまま生き続けてきたのである。

◆ちくわ麩は関東大震災の救援物資？

いっぽうの**ちくわ麩は、小麦粉に水と塩を合わせて練ったものを棒などに巻きつけて加熱し、ちくわの形に似せてつくったもの**だ。魚の類はいっさいつかっていない。ちくわに似ているとはいえ、外周にぎざぎさの溝が何本もはいっていて、それほど似ているわけではない。

おでんのちくわ麩は、煮えるほどに、くたっ、としてきて穴もどんどん狭くなっていく。「そのぐらい味が染みたやつがうまい」という東京人は多い。

では、ちくわ麩はいつごろから食べられていたのだろうか。

一説によれば、大正十二年（1923）に起きた関東大震災で、関西から救援にきた人々が炊き出しにした「関東煮」がはじまりという。災害で食材が乏しいために、小麦粉を練ったものを種にしたというのだが、確証はない。

落語の「時そば」で、「しっぽく」の具にちくわが入っているのをほめるくだりがある。

「なかには、ちくわ麩でごまかすやつがいるからひでえじゃねぇか」と客がぼやく。「時そば」は、上方落語の「時うどん」を明治時代に三代目柳家《やなぎや》小《こ》さんが江戸の噺《はなし》に置き換えて演じたものなのだが、その当初から「ちくわ麩でごまかす」というセリフがあったかどうかはわからない。落語は、のちの演者によってさまざまに肉付けされてきたからだ。

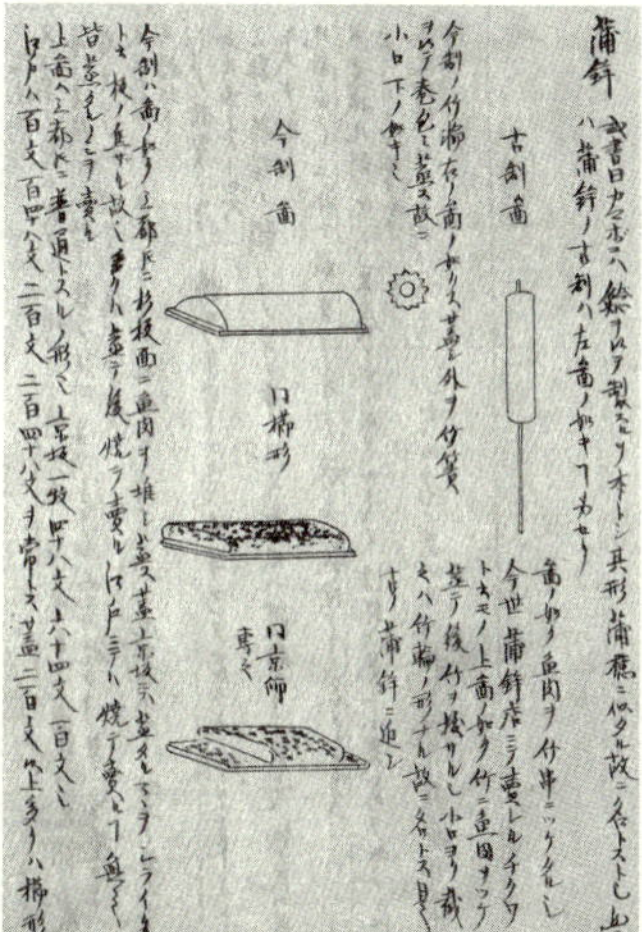

『守貞謾稿』(国立国会図書館蔵)所載のかまぼこの形いろいろ。古くは串に刺した蒲の穂状(右)で、幕末にはすでに現代と同じ形になり(上)、櫛形(中)もあった。上方では蒸したあと焼いて売っていた(下)

和食こぼればなし

江戸時代に「食卓」はなかった？

江戸時代は、ひとつのちゃぶ台を家族みんなで囲むというのではなく、ひとりに一膳が基本だった。お膳といっても温泉旅館などでてくるようなものではなく、「折敷《おしき》」という粗末な木の板でつくったお盆のようなもので、脚がついた「足付折敷」もあった。いまでも、茶懐石では、折敷に一汁三菜の椀や小鉢をのせて提供する。

ちなみに、ちゃぶ台は「卓袱台」とか「茶部台」などと書き、中国料理や西洋料理を土台に発達した卓袱《しっぽく》料理とも関係すると思われるが、語源はあきらかではない。ちゃぶ台は、明治から大正時代にかけて急速に普及し、昭和に入って家族団欒《だんらん》の象徴になっていった。「ちゃぶ台」という言葉は明治初期にはすでにあらわれており、おそらく明治政府が推進した欧化主義の影響から、テーブルを囲んで食事をする西欧のスタイルが模倣されたのだろう。

CHAPTER

8

そばとうどんの謎

こだわりが生んだ麺の誘惑

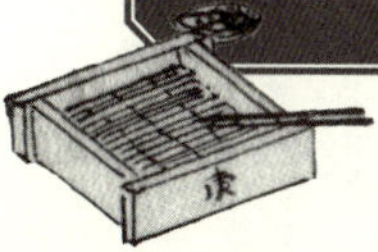

washoku

76

うどんはどこから伝わったのか？

讃岐うどんが生まれた背景は

◆◆讃岐うどんと弘法大師

いまや讃岐《さぬき》うどんの名声は全国区といっていいだろう。太くてもっちりとした歯ごたえ、ずっしり重い麺は、うどんの代表選手にふさわしい。それとは対照的に柔らかい伊勢うどんや博多うどんのほうがいいのだ、とする向きもあるが、香川県がＰＲする「うどん県」に納得する人も多いのではないだろうか。

讃岐がうどんの名産地になった背景には、弘法大師空海《こうぼうだいしくうかい》にまつわる伝説がある。

空海は、いまの香川県善通寺市で生まれ、延暦《えんりゃく》二十三年（８０４）、留学僧として遣唐使に加わり、唐で密教をきわめた。唐の都・長安で修行した空海は、数々の密教の経典とともに、**寺で食べられていた「餛飩《フォウントン》」のつくりかたを日本に持ち帰った。**だから、讃岐でうどんが始まった、という。

空海の甥《おい》で、十大弟子のひとり智泉《ちせん》の故郷である綾歌《あやうた》郡綾川町《あやがわちょう》滝宮《たきのみや》には、智泉が

空海から、うどんのつくりかたを教わって広めたという話が伝わっている。綾川町は、「うどん発祥の地」にふさわしく、生卵と熱々のうどんをからめる「かまたま」で有名な「山越うどん」をはじめ、製麺所や専門店が多い。

空海が伝えたという「餛飩」は、いまのような麺ではなく、**水でこねた小麦粉を団子にして薄く手延べして茹《ゆ》でる、という餃子の皮のようなものだった**ようだ。

熊本県、大分県などの「団子《だご》汁」、大分県の「ほうちょう汁」、栃木県の「ひっつみ」、群馬県、埼玉県北部の「おっきりこみ」、東北地方に広く分布する「はっと」などなど、うどんの原型と思われる郷土料理は数多い。

ただ、讃岐でこれほどうどんが盛んになったのには、それなりのわけがある。

香川県は、降水量が少なく、乾燥に強い小麦の生産が盛んだ。明治初期の調査では、高知県や愛媛県にくらべて、圧倒的に小麦の作付け面積が広い。さらに、製粉の技術も古くから発達していた。小麦を粉にするには石臼でひく必要があるが、牛や馬をつかって石臼を回したり、水車などで製粉する技術はなかなか発展しなかった。石臼をひくのに人力で回すしかない地方では、労力がかかるために、日常的に小麦粉をつくる余裕がない。だから、粉食ではなく、粒食が主流になって、小麦粉で団子をつくるのは、儀礼や祝いの日ぐらいのものだったのだ。

しかし、讃岐では、平安時代ごろにはすでに水車がつくられていた。坂出市を流れる綾川流域では、仁和《にんな》年間（885〜888）に水車をつかっていたという。

海に面しているから塩も手に入りやすく、製粉技術が発達した讃岐で、日常的にうどんが食べられるようになったのは、当然の流れだったのだ。

「ほうとう」は甲州だけの名物ではなかった

十世紀に成立した日本初の漢和辞典『倭名類聚抄《わみょうるいじゅしょう》』には、「**䬻飩」という言葉が載っていて、「小麦粉を（水で練り）めん棒でのして方形に切る」とある。**「䬻飩」の中国語読みは「ハウトン」だ。

この発音から連想されるのが、甲州名物「ほうとう」である。

戦国時代に武田信玄《たけだしんげん》が、陣中食として考案したという伝説があり、ダイコン、ネギ、ゴボウ、サトイモ、シイタケ、ハクサイなど季節の野菜をふんだんに入れた煮干し出《だ》汁《し》の汁に幅広の手打ちうどんを入れて煮込む。陰の主役は油揚げだ。甲州ではことがうまくいったときに「うまいもんだよ、カボチャのほうとう」というようにカボチャが入ったほうとうが人気で、味噌ほうとうもある。

土産物にもなっている**「ほうとう」は、小麦粉を練るときに塩をつかっていない。**煮汁に入れて煮込むので、塩が入っているとしょっぱくなりすぎるからだし、甲州では塩は貴重だった。上杉謙信《うえすぎけんしん》が塩不足に悩む信玄に塩を送ったという故事をみても、塩をつかわなかった理由がわかる。

武田信玄の旗印「風林火山」は、中国の兵法書『孫子』の一節からとったものだ。中国の古典に通じていた信玄が、「ハウトン」の調理法を知って陣中食に採用したということも考えられるだろう。ただ、信玄が甲州に出入りしていた高僧から製法を教えられて採用したという説が有力のようだ。

空海が持ち帰ったという「餛飩」と「ハウトン」の関係はわからない。ただ、**中国で団子を薄くのばして茹《ゆ》でていた「ハウトン」は、日本に伝わって、「ほうとう」になった。**鎌倉時代から室町時代にかけて、「ほうとう」はすりつぶしたヤマノイモと米粉《こめこ》をまぜて練るかたちになり、江戸時代に入って小麦粉をつかうようになった。つまり、信玄が採用した「ほうとう」は小麦粉ではなく、米粉をつかっていた可能性もあるのだ。

77 なぜ関東はそばで関西はうどんなのか？

江戸のうどん嫌いの理由は

◆ばかにされた江戸のうどん好き

関東はそば好きで、関西はうどん文化圏といわれる。

よく、関西人が関東のかけうどんの汁をみて、「こんな真っ黒いもん」などと驚いたりする。関東人は「たこ焼きだのお好み焼きだの、ソースばっかり食ってるくせに」と言い返したりするが、そんな不毛なやりとりの原点は、江戸時代にあるのかもしれない。

江戸で「うどん食らい」といえば、「仕事ができない愚か者」という意味でばかにされていた。『醒睡笑《せいすいしょう》』は、安楽庵策伝《あんらくあんさくでん》という茶人が京都所司代・板倉重宗《いたくらしげむね》の前で披露した笑い話を集めた江戸時代初期の本で、落語のルーツといわれているのだが、そのなかに、うどん好きの男の話が出てくる。

うどんは好きだが、自分で金を出して食うのはもったいない。そこで、坊主に「おれの頭を剃《そ》って傷つけたら、うどんをおごれ。傷つけなかったら、おれがおごってやる」ともちかけた。坊主が無事に剃り終えようとしたので、男は少しだけ傷つけさせようと立ち上がったところ、耳を切り落とされてしまった。それでも「うどんが食える」と喜んだというから、「珍しき痴漢《うつけ》なるかな」とあざ笑って話は終わる。

また、うどんは「役立たず」ともいわれた。「そば湯」は栄養もあってうまいが、うどんを茹《ゆ》でた湯は、うどんの塩分が移るので捨てるしかない。「うどんのぬき湯」は、役にも立たず捨てるしかないもののたとえにつかわれた。

江戸っ子は気が短い。茹でる時間も短く、手早く食べられるそばは、江戸っ子好みだった。いっぽうの**うどんは、茹でるのに時間がかかり、そばのように五、六口たぐっておしまいというわけにもいかない**。うどんをのんびり食べているような職人は、「どうせ仕事もへたで遅いやつ」と考えられたのだろう。

江戸っ子はうどんをばかにしていたが、京都・大坂の人々が、そばをばかにしたという形跡はない。**江戸時代も安永《あんえい》（1772〜1780）のころまでは、江戸でも上方《かみがた》でも、うどんとそばの両方を出す店ばかりだった。**いまと同じく、注文のときに、うどんとそばのどちらにするか聞かれた。

それが変化するのは、文化文政《ぶんかぶんせい》（1804〜1829）のころで、**江戸ではそばがあたりまえ**になっていく。

◆◆江戸生まれの大坂町奉行がはまったうどんの味

安政《あんせい》二年（1855）に大坂町奉行に就任した江戸生まれの久須美祐雋《くすみすけとし》による『浪花《なにわ》の風』は、在職中に見聞した大坂の人情・風俗・物産・食物を書いたもので、そのなかにこんな一節がある。

「食物江戸より風味の勝りたるものもあれども、また江戸人の口には適し難く、且敵《かつかな》ひ難き計《ばかり》にもあらず、風味の劣りしものも少からず。其内蕎麦切《そばきり》は殊にあしく、其色合もあかみを帯て味《あじわ》ひ宜しからず。只他の加入もの多き故にはあらず。真の生蕎麦《きそば》にても一体の性合よろしからざる故、風味劣れるなり。其上製法もよろしからず。旁《かたがた》江戸人の口には敵ひ難し。これ蕎麦は土地の性に応ぜざる故なるべし。**温飩《うどん》は蕎麦に引替、大によろし。其色合も雪白にして味ひ甘美なり。**夫故《それゆえ》市中にも温飩店は多く、いづれの店物にても皆よろし。予は蕎麦はそもそも嗜好なれども、温飩は素より好まず。されども当地のうどんは、江戸に比すれば格別よろしき故、蕎麦に替て不断食することなり」

簡単にいえば、「大坂の食べ物は江戸人の口にあわず、そばはとくにだめ。しかし、うどんはそばにくらべれば、大いにうまい。色合もよくて甘美だ。私はそもそもそば好きでうどんは嫌いだった。ところが、当地のうどんは江戸より格別にうまいので、そばのかわりにうどんばかり食べている」ということだ。

結局、**江戸っ子がうどんをばかにしたのは、江戸のうどんがまずかったから**で、関西人がそばをばかにしなかったのは、そもそもうどん好きが多かったから、といえるかもしれない。

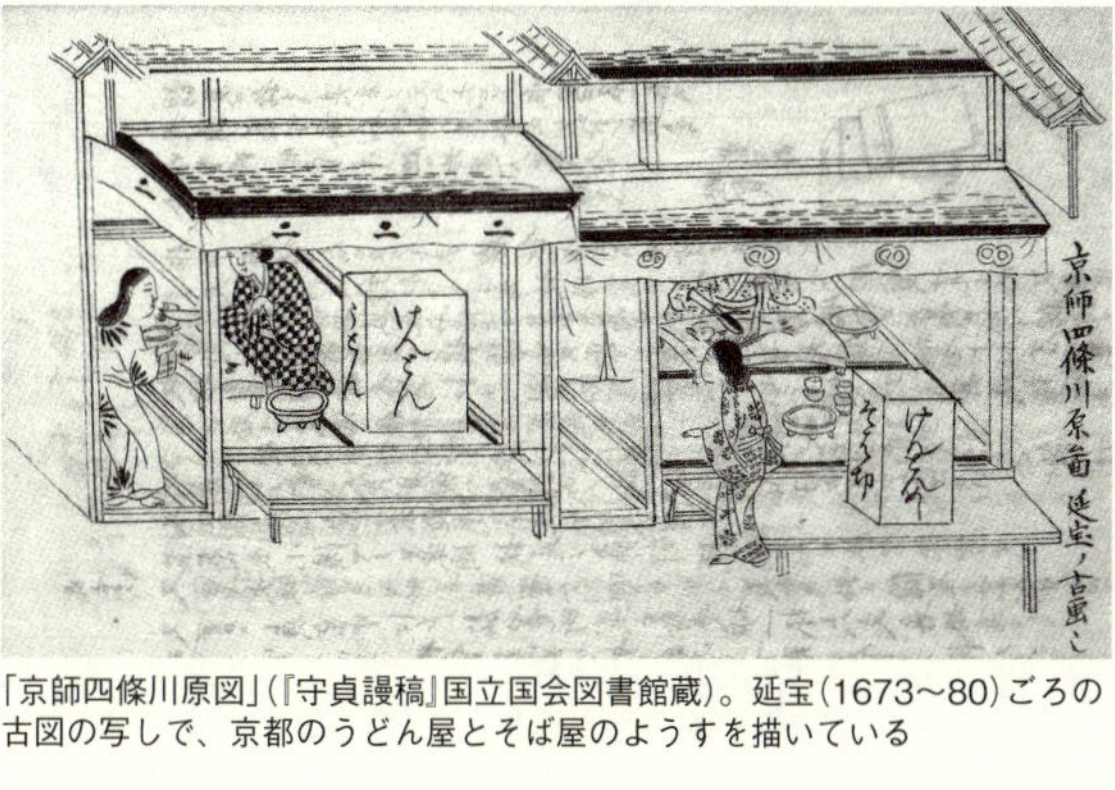

「京師四條川原図」（『守貞謾稿』国立国会図書館蔵）。延宝（1673〜80）ごろの古図の写しで、京都のうどん屋とそば屋のようすを描いている

78 「けんどん屋」とはどういう店なのか？

「つっけんどん」の語源

◆一杯盛り切りの無愛想な外食店

コンビニなどで経験する人は多いと思うが、よく、無愛想な店員が不機嫌そうにとげとげしい態度をとることがある。これを「つっけんどん」という。

漢字で書くと「突慳貪」。なにやら仏典にありそうな言葉だと思ったら実際にそうで、『漢字源』によると「慳貪」は「欲が深く、財貨をおしんで人に与えることをせず、むやみに欲しがる心」という煩悩《ぼんのう》をあらわす仏教用語だった。もうひとつ意味があって、「意地が悪くてむごいこと」をいう。こちらの語源になったのが、**江戸時代に登場した**「**けんどん屋**」だ。

「けんどん屋」は、**おかわりがきかない、一杯盛り切りで出す店**のことだった。「けんどんそば」「けんどんうどん」などともいう。欲深く食べ放題をもとめるのではなく、一杯だけで我慢せよ、ということだろう。

しかし、この「けんどん屋」は、じつに無愛想な店が多く、客を邪険にあつかうのがあたりまえで、評判が悪かった。不機嫌そうに一杯のそばを突きつける。そんなところから、「つっけんどん」という言葉が生まれた。

ただし、すべての「けんどん屋」が無愛想だったわけではない。『守貞謾稿《もりさだまんこう》』には、延宝《えんぽう》のころ（1673~80）の「饂飩蕎麦屋《うどんそばや》」の絵があって、店先と店内に「けんどん」と書いた行灯《あんどん》が置いてある（235ページ参照）。客は座敷にあがり、女店員の給仕を受けて上機嫌そうだ。四条河原をはじめ、京都のうどん屋は繁昌したようで、およそ四、五町に一軒の割合で営業していたという。

無愛想な「けんどん屋」は江戸のはじめごろ、とくに多かったようだ。埋め立てなどの普請《ふしん》で多くの職人や人足がひしめき、江戸の町は男だらけだった。そんな環境で、一杯かぎりのそばや飯を売る店は、愛想を振りまく必要も余裕もなかったのかもしれない。

幕末になって、そばは十六文から二十四文に値上がりした。不景気と原材料の高騰が原因だったのだが、客からの文句は少なかった。一杯盛り切りでなく、おかわり自由で、愛想もよくなったからだという。

79

そば切りの元祖はどこなのか？

諸説がある「発祥の地」

◆どこが元祖で本家なのか？

作物としてのソバは、養老《ようろう》六年（722）には国司が栽培を命じた記録が『続日本紀《しょくにほんぎ》』にあるので、古くから荒地に適した特性が知られていたようだ。しばらくは粉にして**「そばがき」にしたり、焼き餅にしたりしていたが、江戸時代になって、「そば切り」が登場**し、一気に食べ方の主流になる。つまり、いまのような麺にしたそばが誕生したのは、江戸時代のことだった。

しかし、いったいどこが「そば切り」発祥の地なのかは、諸説が入り乱れて、よくわからない。

記録上もっとも早いのは、慶長《けいちょう》十九年（1614）の『慈性日記《じしょうにっき》』だ。近江国《おうみのくに》（滋賀県）多賀神社の社僧だった慈性が江戸に滞在していた二月三日、そば切りを「常明寺でごちそうになった」と書いている。

そばがきしか食べていなかったのなら、麺になったそばは、かなりの驚きだったはずだが、さほどびっくりはしていない。つまり、慈性は「そば切り」を食べたことがあったのでは、と推測できる。**味噌や醤油や酒が寺でつくられていたように、「そば切り」もすでに関西の寺では一般的だった可能性がある**のだ。

江戸時代前期に松江重頼《まつえしげより》が書いた『毛吹草《けふきぐさ》』は、俳諧《はいかい》や連歌の作法とともに諸国の名物も紹介した俳諧書で、そのなかに、**信濃《しなの》国（長野県）の名物として「そば切り」が「当国より始まると云う」**とある。『毛吹草』の刊行は正保《しょうほう》二年（1645）だが、寛永《かんえい》十五年（1638）の序があって、そのころにはすでに「信州そば」が名物になっていたようだ。

また、宝永《ほうえい》三年（1706）刊行の『風俗文選《ふうぞくもんぜん》』は松尾芭蕉《まつおばしょう》門下の俳文を集めたもので、**「そば切り」は「もともとは信濃国本山《もとやま》宿より出たもの**で、その後、全国でもてはやされるようになった」と書いている。

本山宿は現在の長野県塩尻市にあった。現在、地元女性が打つ「そば切り発祥の地本山そばの里」という村おこしの店がある。

「蕎麦切《そばきり》発祥の地」の碑が建っているのは、山梨県甲州市の天目山栖雲寺《てんもくざんせいうんじ》だ。

尾張《おわり》藩の国学者・天野《あまの》信景《さだかげ》が元禄《げんろく》年間（1688〜1703）に書いた随筆『塩尻』には、「**蕎麦切は甲州よりはじまる。初め天目山参詣多かりし時、所民参詣の諸人に食を売るに米麦の少なかりし故、そばをねりて旅籠《はたご》とせしに、其後うどんを学びて今のそば切りとはなりし、と信濃人のかたりし**」と記されている。

つまり、甲州の栖雲寺発祥、と信州人が語ったわけで、どちらが元祖でどちらが本家かはわからないが、より客観的な証言といえるかもしれない。

◆江戸初期の「そば切り」のレシピ

「そば切り」のつくりかたがはっきり紹介されたのは、江戸初期の寛永《かんえい》二十年（1643）に刊行された『料理物語』だ。少々長いが引用してみよう。

「蕎麦きり　めしのとり湯にてこね候て吉、又はぬる湯にても又とうふをすり水にてこね由事もあり、玉をちいさうしてよし、ゆでゝ湯すくなきはあしく候、にへ候てから、いかきにてすくひぬるゆの中へいれ、さらりとあらひさていかきに入にへゆをかけ、ふたをしてさめぬやうに又水けのなきやうにして出してよし　汁はうどん同前其上大こんの汁くはへ吉　はながつほ　おろし　あさつきの類又からし　わさびもくはへよし」

「そば切り」をつくるときには、米のとぎ汁でこねるのがよく、ぬるま湯や豆腐をすって水でこねることもある。そばの生地は小さい玉にまとめるのがよい。茹《ゆ》でるときに湯が少ないのはいけない。煮えてから、「いかき（竹ざる）」ですくい、ぬるま湯の中に入れて、さっと洗う。「いかき」に入れて熱湯をかけ、ふたをして冷めないように、水気を切る。汁はうどんと同じ。ダイコンの汁を加えるとよく、薬味は花鰹《はながつお》、大根おろし、アサツキなど。カラシやワサビを加えるとよい、と懇切丁寧なレシピだ。

いまとちがうのは、豆腐をすりこんだり、茹で上がったら冷水ではなくぬるま湯で洗うあたりだろうか。水気を切っておいて、熱湯をかけて温めるあたりは、いまの立ち食い店がやっている方法につながるものがある。

ダイコンの汁は、いまでも薬味やそばつゆにつけて出す店があり、つかうのは「辛味大根」とよばれる長さが短い品種だ。寛永のころは、まだ練馬大根がなかったので、江戸っ子たちも、ぴりりと辛い地物《じもの》のダイコン汁とおろしを薬味に、「そば切り」をすすったのだろう。

80 なぜ「砂場」という店名のそば屋があるのか?

大坂から受け継がれた暖簾

◆元祖・砂場は大坂城築城までさかのぼる?

東京には、江戸時代から続く老舗《しにせ》のそば屋が多い。「木鉢会《きばちかい》」は、そうした老舗の主人と子弟たちで結成された集まりである。前身となったのは、戦後まもない昭和二十三年(1948)にできた「銅子会《どうしかい》」だ。戦後の混乱と食糧難のなかで、老舗の味と格を保とうと結成された。「銅子」とは、そばを茹《ゆ》でる銅製の釜のことで、「銅子の湯で産湯《うぶゆ》をつかった者たち」の集まりという意味だ。戯作者の山東京伝《さんとうきょうでん》が定義した江戸っ子の条件のひとつに「神田上水の水で産湯をつかう」というのがあるように、「産湯をつかう」は二代三代と続いてきた老舗の誇りを示す言葉でもある。

そばづくりに欠かせない木鉢を会名にして、三代目以降の現役の集まりとして「木

鉢会」が発足したのは昭和三十三年のことだった。

　現在、二十八店舗が加盟しているが、そのなかで、由緒がもっとも古いと思われるのが、「砂場《すなば》」だ。

　その起源は、豊臣秀吉《とよとみひでよし》の時代にさかのぼるという。天正《てんしょう》十一年（１５８３）に着工された大坂城は、かつてない規模の大工事だった。**築城には大量の砂が必要で、現場近くには砂場が設けられ、多くの職人たちが出入りした。それをあてこんで開店したそば屋が評判になり、「砂場のそば」として、繁昌した。**うどんではなくそばだったのは、江戸っ子が好んだように、職人たちが手早く食べられるからだったのだろう。

　いまの大阪市西区新町二丁目あたりに「津国屋《つのくにや》」の屋号で「すなば」の暖簾《のれん》を掲げるそば屋が存在していたことは、嘉永《かえい》二年（１８４９）刊行の『日本二千年袖鑑《にほんにせんねんそでかがみ》』で確認できる。また、西区新町二丁目の新町南公園には、大阪のそば屋誕生四百年を記念して、大阪府麺類食堂業生活衛生同業組合が昭和六十年（１９８５）に建てた「ここに砂場ありき」の碑がある。

　ただ、秀吉の時代に「そば屋」がありえたか、という疑問も残る。あるいは、大坂落城後に徳川家康《とくがわいえやす》が再建したときの話かもしれないが、確証はない。

とはいうものの、「砂場」という店名が、大坂の「砂場のそば」に由来することだけは明らかだ。

津国屋の直系である**大坂屋長吉《おおさかやちょうきち》が天保《てんぽう》十年（1839）に江戸・麴町《こうじまち》で店を出したのが、東京「砂場」の先祖**になった。

麴町の本家砂場は、現在は荒川区南千住に移転して「砂場総本家」として営業している。

「虎ノ門砂場」は、麴町の本家砂場に養女として預けられた女将《おかみ》ヨソが、明治五年（1872）に開店し、山岡鉄舟《やまおかてっしゅう》もひいきにしていたという。このほか、「巴町《ともえちょう》砂場」（港区虎ノ門）、「天ざる」の元祖といわれる「室町《むろまち》砂場」（中央区日本橋室町）など、大坂発祥の「砂場」は東京のそば屋の代名詞のひとつになったが、元祖の大阪では「砂場」の屋号は途絶えてしまった。

◆江戸の老舗の技術を保つ名店

老舗そば屋の代名詞といえば「藪《やぶ》そば」もそのひとつだ。

さきごろ火災で焼失し、再建された「かんだやぶそば」（千代田区神田淡路町）は、

幕末のころは「つたや」の屋号で本郷団子坂にあり、付近は竹藪が多かったので、通称を「やぶそば」といっていた。明治十三年（1880）に暖簾分けで神田に「藪蕎《そ》麦《ば》」の屋号で開店、団子坂本店の廃業によって、藪蕎麦本店としての看板を受け継ぐことになった。

そばの実の中心部だけをつかったそば粉でうつ「**更級**《さらしな》」もよく知られている。寛政《かんせい》元年（1789）、信州で反物《たんもの》商をしていた布屋太兵衛《ぬのやたへえ》は、そば打ちが得意だった。江戸で大名屋敷の出入り商いをしているときに、保科《ほしな》家から勧められてそば屋に転向し、麻布に「信州更科蕎麦処」の看板を揚げたのがはじまりといわれる。

東京風のそばつゆは、しょっぱい筆頭が「並木藪蕎麦」（台東区雷門）で、甘さは「更級」、その中間が「室町砂場」ということになっている。更級のそばつゆが甘いのは、醤油を出汁《だし》で割り、さらにみりんと砂糖を加えて火を通してから冷ましているからだ。

暖簾の多さでは、「**長寿庵**《ちょうじゅあん》」も筆頭格だろう。

屋号が生まれたのは元禄《げんろく》十五年（1702）といわれる。現在の中央区銀座七丁目にあたる竹川町にあった元祖「長寿庵」は、東京大空襲で焼失したが、その後、復活して有望な若手に次々と暖簾分けし、現在は三百四十店舗を数える。

81 江戸っ子はなぜつゆをたっぷりつけないのか？

老舗にいけば理由がわかる

◆「返し」と「出汁」でつくる濃厚なそばつゆ

そば好きは、けっこううるさ型が多い。

つゆはたっぷりつけてはいけない、ワサビは溶いてはいけない、あまり嚙《か》まずにすすりこめ、などなど、「そば道」はなにかとやっかいだ。

そばを食べるしぐさが絶品といわれた五代目柳家小《やなぎやこ》さんは、よく「時そば」のマクラで、つゆをちょっとだけしかつけない江戸っ子の食べ方を演じていた。そば好きの江戸っ子が臨終にあたって**「死ぬ前に一度でいいから、つゆをたっぷりつけて食いたかった」**と嘆く。ほんとうは、たっぷりつけたほうがうまいのか、と思ってしまうが、じつはそうでもない。

江戸の昔から、そばつゆは、かなり濃いものだった。

そばつゆは、「返し」と「出汁《だし》」を合わせてつくる。「返し」は醤油と砂糖を合わせたもので、加熱したものを「本返し」といい、砂糖を水で溶かして醤油とまぜただけのものは「生返し」という。「返し」は「土《ど》たんぽ」という細長い瓶《びん》に入れ、丸一日寝かせてなじませる。寝かせることで、味のかどがとれ、劣化も防ぐことができる。

いまは現代人の嗜好にあわせて、あまり濃いそばつゆはみかけない。江戸風の濃厚なそばつゆを味わうなら、「並木藪蕎麦《やぶそば》」や「かんだやぶそば」など、一部の老舗《しにせ》にいくしかないだろう。

よく知られているように、うどん・そばの汁は、**関東では鰹節《かつおぶし》の出汁と濃口醤油、関西では鰹節と昆布《こんぶ》の合わせ出汁と薄口醤油**をつかう。関東では「もりそば」が好みで、関西では「かけそば」、そしてなにより「うどん」のほうが好みだ。好みの背景がちがえば、出汁も醤油の傾向もちがってくる。

ただ、最近は「讃岐《さぬき》うどん」ブームも手伝って、東京でも関西風の「うどんだし」が好まれるようになっているようだ。また、つけ麺ブームの影響からか、関西でも、濃厚な「ざるそば」のそばつゆはめずらしくないようだ。「江戸前」のにぎり寿司が全国に広まったように、そばつゆの味も時代の好みで変化していくのだろう。

82

「二八そば」の意味とは？

小麦粉の分量か十六文か

◆◆語呂合わせ説が有力

『守貞謾稿《もりさだまんこう》』によれば、「二八《にはち》そば」は寛文《かんぶん》八年（1668）にはじまったという。値段は十六文、いまでいえばおよそ四百円だった。

なぜ「二八」なのかについては、ふたつの説がある。

ひとつは、**値段が十六文だから「二×八」で十六という数字の語呂《ごろ》合わせ説**。もうひとつは、**「そば粉八割に小麦粉二割」で打ったから、という粉の配合説**だ。

結論は出ていないが、そば業界では語呂合わせ説が通説になっているらしい。

『守貞謾稿』には二八そばを売る「駄《だ》そば」についての記述がある。粗末なそばという意味だ。駄そばの場合、店先の行灯《あんどん》に「手打」と書いてあっても、「別に精製を商う店あり」で、出来合いの麺を仕込んでいる店が多いからだまされないように、と注意をうながしている。「真の手打ちそば屋には二八の駄そばは売らず」とあるのは、

「真の手打ちそば屋では、安物のそばは売らない」という意味だろう。

また、京都の「饂飩《うどん》蕎麦《そば》屋《や》」の品書きの絵もあって、うどんとそばの両方が書いてあるのだが、値段はどちらも十六文だ。さらに「二八うどん」という言葉もある。

さらに、**値段が八文だった「一八そば」や十二文の「二六そば」もあった。**このことからみても、値段の語呂合わせ説は有力といえるだろう。

そば粉に小麦粉を配合するようになったのは、江戸中期ごろからといわれる。十割そばは生地にまとめにくく、腕が悪いとボソボソと切れてしまう。小麦粉はつなぎとして加えられたわけだが、のびにくくなる利点もあるので、このころから現れはじめた出前には重宝される配合だったわけだ。いまは「十割そば」が本式で、「そば粉八割小麦粉二割」は下等という風潮で、「二八そば」を売りにする店はほとんどない。ただ、小麦粉をまぜる手法は、出前が普及しはじめたころに、必要にせまられて開発された工夫だったことは、おぼえておいていいだろう。

幕末になって、そばは二十四文に値上がりしたが、「二八」は消えていない。つまり、「そば＝二八」はすでに定番になっていて、「三八」によび名を変える必要はなかったのだ。「二八そば」の起源はこのころすでに曖昧になっていたようだ。

◆時代劇と「二八そば」

時代劇では、よく屋台のそば屋が登場する。テレビドラマ『鬼平犯科帳』のエンディングでは、ジプシーキングスのギターをバックに、降りしきる雪のなかで湯気をあげる屋台が江戸情緒を醸《かも》しだす。

夜間営業をするそば屋の屋台は、「夜鷹《よたか》そば」とか「夜鳴きそば」とよばれた。町角で客引きをする夜鷹（街娼）がよく食べたから、というのだが、鷹匠《たかじょう》が寒い夜に丼で手をあたためたことから、という説もあって、このあたりはよくわからない。

元禄《げんろく》十五年（1702）の赤穂《あこう》浪士討ち入りを題材にした「忠臣蔵」では、討ち入り前にそば屋の二階に集合して、「討ち入りそば」を食べたことになっているが、**この時代、二階に座敷があるような「そば屋」はなかったから、後世の脚色だ。**

ただし、屋台のそば屋はたしかにあった。貞享《じょうきょう》三年（1686）、幕府は「饂飩《うどん》、蕎麦切《そばきり》」など火を持ち歩く商売の禁止令を出している。ただ、「三日法度《はっと》」という言葉があったように幕府の御法度はすぐにうやむやになるのが常だったから、その後も江戸の町角から屋台のそば屋が消えることはなかった。

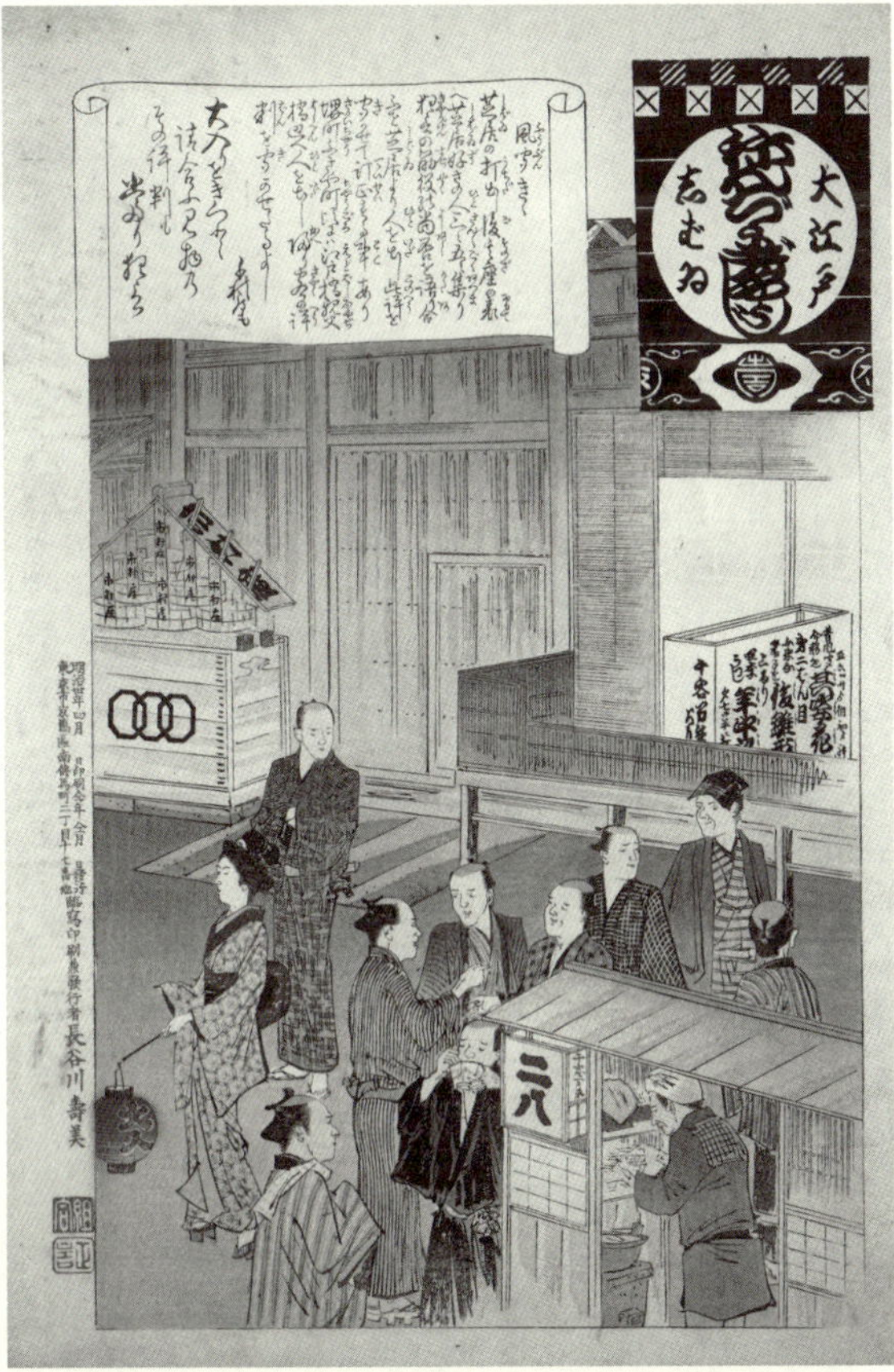

安達吟光画「大江戸しばゐねんぢうぎやうじ　風聞きゝ」(国立国会図書館蔵)。猿若町の芝居小屋の前に「二八そば」の屋台がでている

83 「おかめそば」はなぜ消えたのか？

品書きの栄枯盛衰

◆細々と生き残るかつての定番

万延《まんえん》元年（1860）、原料のソバの価格が高騰したため、江戸中のそば屋が対策を協議することになった。**集まったのは三千七百六十三軒**で、どこに集合したのか『守貞謾稿《もりさだまんこう》』には書いていないからわからないが、そんなにも多くが集まれるほど広い施設は江戸城ぐらいしかないから、おそらく神社か寺の境内に集まったのだろう。この数のなかには、町なかを屋台で売り歩く「夜鷹《よたか》そば」は含まれていない。

タウンページをもとにした2014年の調査では、全国のそば店の数は二万四千九百二十四軒で、東京都は三千二百軒で全国一だ。このなかには立ち食いの店舗も含まれているだろうから、江戸時代のそば屋の数の多さがわかる。

そばというと、落語好きはすぐに「時そば」を思い浮かべるだろう。要領のいい客が、屋台のそば屋をよび止めて、さんざんほめあげながら食べる。い

そばとうどんの謎

こだわりが生んだ麺の誘惑

ざ、勘定になって、銭を「ひい、ふう、みい」と数えはじめ、八つ数えたところで「いま何時《なんどき》だい」「へぇ、九つで」「とお、十一、十二……」と、ひとつとばしてごまかしてしまう。それを見て感心した男がまねをして失敗するという噺《はなし》だ。

　はじめに客が「なにができるんだい」と聞くと、そば屋は「花巻としっぽく」とこたえる。**「花巻」は、もみ海苔《のり》をかけてワサビを添えたもの**で、**「しっぽく」は野菜や鳥肉の具をのせたもの**だ（254ページ参照）。どちらも「あまりみたことがない」という人が多いだろうが、近年の江戸ブームもあってか、品書きにのっている店は、少なくない。

　以前はよくみかけたのに、最近、めったにみられなくなったのが、「おかめそば」だ。幕末のころ、下谷七軒町《したやしちけんちょう》（東京都台東区）の「太田庵」が考案したもので、**湯葉《ゆば》や松茸《まつたけ》の薄切り、かまぼこや玉子焼きなどをつかって、「おかめ」の面を思わせる顔に仕立てたもの**だ。いわば「キャラ弁」の元祖といえようか。

「おかめそば」はたちまち人気になり、いろいろとアレンジされて各地に広まったものの、手間がかかるわりに人気が下降したため、一般の店からはほとんど姿を消してしまった。

84 「しっぽく」とはなにか？

長崎の卓袱料理との関係は

◆中華料理から和食に変化した江戸で人気のそば

郷土色ゆたかなそば、うどんをのぞけば、そば屋のメニューは、どこへいってもあまり変わらないものだ。

『守貞謾稿《もりさだまんこう》』には江戸時代後期のそば屋の品書きが載っている。いまと同じく貼り紙形式で、いちばん右に書いてある名物の「大蒸籠《おおせいろ》」は四十八文。いまならおよそ千二百円とけっこうな値段だ。シンプルな「そば」はおなじみ十六文。おそらく二八そばだろう。ほかにバカ貝（アオヤギ）の小柱をのせた「あられ」が二十四文、シバエビを揚げた「天ぷら」三十二文、浅草海苔《あさくさのり》をあぶって、揉《も》んでかけた「花巻」二十四文、「玉子とじ」三十二文とある。

そのなかに、あまり見慣れない「しっぽく」がある。お代は二十四文だ。

「しっぽく」は、漢字で書くと「卓袱」で「卓子」とも書く。長崎の料理である。

「卓」とは、テーブルのことで、「袱」はテーブルかけのことだ。こう書くと西洋料理のようだが、実際は長崎貿易で訪れた清国人がつくった料理が起源で、中華料理ということになるのだが、**料理の形式は、京都・大坂や江戸へ伝わるにしたがって、どんどん日本化して、中華とは似ても似つかぬものになっていった。**

宝暦《ほうれき》元年（1751）に日新舎友蕎子《にっしんしゃゆうきょうし》が書いた『蕎麦《そば》全書』には、江戸の「瀬戸物町近江屋」に吉野葛《よしのくず》をつかったそばがあり、「しっぽくそば」も出している、とある。また、「人形町に万屋という新店ができて、しっぽくそばを出している。なかなかよろしいともてはやされている」とも書いている。

「しっぽく」は長崎から東へ伝わっていったので、京都・大坂のほうが早いはずだが、残念ながら記録がなく、いまのところ、江戸のそば屋が「しっぽくそば」の元祖ということになる。「しっぽく」はそばだけでなく、うどんもあって、『守貞謾稿』は「うどんの上に、焼鶏卵、蒲鉾《かまぼこ》、椎茸《しいたけ》、クワイの類を加える」と説明している。

大和郡山《やまとこおりやま》藩の二代藩主・柳沢信鴻《やなぎさわのぶとき》が残した『宴遊日記《えんゆうにっき》』には、安永《あんえい》五年（1776）、雑司ヶ谷の鬼子母神《きしもじん》に参詣した帰りに、門前の「茗荷屋《みょうがや》」という茶屋で「しっぽこそば」を食べた記録がある。**具は「鴨、芹《せり》、クワイ、ナス、ゴボウ」**だった。

85

「天抜き」とはなにか？

天ぷらそばと酒の関係

◆汁につかった天ぷらを肴に酒を飲んだ江戸っ子

みなさんは「天抜き」をご存じだろうか。「抜き」ともいって、ふつうはあまりみかけない、そば屋のメニューだ。

はじめて聞く人は、まず「天ぷらそばから、天ぷらを抜いたものだろう」と想像する。そばつゆの表面に天ぷらの油を移してコクを加えて、抜いた天ぷらは別に食べるのだろう。そう考えた人は、正体を知ってびっくりする。**「天抜き」は、天ぷらそばからそばを抜いたもの**なのだ。

「そんなばかな。なんの意味があるんだ」と怒りだす人もいる。しかし、あくまで「天抜き」は、**「そばなしの天ぷらそば」**であり、ちゃんと意味があるのだ。

あまりみかけない、と書いたけれど、「天抜き」は、たとえば、池波正太郎がひいきにした「神田まつや」や「並木藪蕎麦《やぶそば》」などの老舗《しにせ》で出されているし、えび天やかき揚げだけでなく「牡蠣《かき》の天抜き」を目玉にしている店もあって、近年はみかける率が高くなっている。

もとはといえば、そばにうるさい江戸っ子が、酒を飲みながら天ぷらそばを頼んだりすると、すぐに腹いっぱいになってしまうし、飲んでいるうちに、そばがのびてしまったりする。そこで、**天ぷらそばのそばだけを抜いて、天ぷらを肴《さかな》に酒を飲み、あとでそばだけ頼んだ、**というのが由来だとされている。

「天ぷらそば」そのものは、江戸後期に登場したと考えられているが、はっきりした史料はない。文政《ぶんせい》（1818～29）のころに詠《よ》まれた川柳に「沢蔵主《たくぞうす》　天麩羅《てんぷら》蕎麦が　御意《ぎょい》に入り」があるので、それ以前にはおなじみになっていたようだ。

「天ざる・天もり」は、江戸時代にはなく、「室町《むろまち》砂場」が戦後になって考案したともいわれている。ただし、「室町砂場」の「天もり」は、よくみかけるような天ぷらの皿とそばが別々になっているものではなく、シバエビと小柱のかき揚げが、小鉢に入った熱々の汁につかって出てくる。そばは別盛りだ。つまり、「天抜き」とそばが同時に出てくるようなもので、もしかしたら「天抜き」からヒントを得たのではないだろうか。

86 「そうめん」と「ひやむぎ」はどうちがう?

由来もつくりかたもちがう夏の麺

◆基準は太さと製法のちがい

「そうめん」に「ひやむぎ」といえば、夏の定番だ。では、そのちがいはなんだろうか。「細いのがそうめんで、赤や緑の麺が数本まじっているのがひやむぎ」などという声もあるが、実際は、もっとはっきりしたちがいがある。

ひとつは、ご想像のとおり、単純に「太さ」のちがいだ。JASの分類によれば、「そうめん」は機械製麺の場合、太さの長径が1・3ミリ未満、「ひやむぎ」は、1・3ミリ以上1・7ミリ未満と決まっている。手延べ製麺の場合は、「そうめん」も同じ1・7ミリ未満だ。じつは以前は機械製麺と同じく、「そうめん」は1・3ミリ未満だったのだが、江戸時代から続く徳島県の「半田そうめん」は1・7ミリ前後なので、分類上は「ひやむぎ」になってしまった。歴史と伝統を考慮してJASが規格を変更し、手延べの場合は1・3ミリ以上でも「そうめん」を名乗っていいことになった。

さらに大きくちがうのは、製法だ。「そうめん」は、奈良時代に中国から伝わったときには「索餅《さくべい》」「むぎなわ」とよばれていた。「索餅」は、菓子だった可能性もあるが、**「むぎなわ」は「小麦粉でつくった細長い食べ物」のことで、のちに「素麺」の字があてられるようになった。**つくりかたは、小麦粉を水でこね、縄のように縒《よ》りを加え、引きのばして細くしていく。室町時代になると、小麦粉に水と塩を加え、油を塗りながらのばしていき、極細にしたあと、竹竿《たけざお》などにぶらさげて乾燥させる方法が普及した。

平安時代ごろまでは、麺は高級品で、宮廷では七夕《たなばた》の節句《せっく》に食べる風習があった。一般に普及したのは鎌倉時代から室町時代にかけてで、「七夕そうめん」の風習も庶民に広まっていく。

そのころには、奈良・興福寺や中御門《なかみかど》家が「素麺座《そうめんざ》」をつくって製造・販売を独占するようになった。ちなみに、「座」とは同業組合のようなもので、織田信長《おだのぶなが》が実施した「楽市楽座」は、座の独占権を撤廃したものだ。

座ができるほどだから、かなり普及していたわけだが、江戸時代になると、手早く茹《ゆ》でられるそうめんは、江戸でも人気の食べ物になった。大田南畝《おおたなんぽ》の狂歌に、

「投げつけて　見よ素麵の　ゆでかげん　丸にのの字に　なるかならぬか」というのがある。壁になげつけて、「丸にのの字」になってくっつけば、ちょうどいい茹で加減というわけだ。

「そうめん発祥の地」とされる奈良県桜井市の「三輪そうめん」や、室町時代にはじまったとされる兵庫県揖保川《いぼがわ》流域の「揖保之糸」は有名だが、ほかにも、香川県小豆島《しょうどしま》や長崎県島原市が産地として知られている。

小豆島のそうめんは、江戸時代のはじめ、三輪そうめんの技術が伝わってはじまった。**島原のそうめんは、小豆島の住民が島原に移住したのが起源**で、きっかけは寛永《かんえい》十五年（1638）に終結した島原の乱だ。幕府は、乱が終わって住民の数が激減した島原に天領（直轄地）からの強制移住を実施し、小豆島からも多数の住民が移住を強いられたのだ。小豆島のそうめんづくりは四十年以上もつづいていたので、伝統の技術をもった人々が、新天地でもそうめんをつくりはじめた、といわれている。

◆「きりむぎ」から「ひやむぎ」へ

「ひやむぎ」は、現在は「そうめん」と同じく手延べでつくる方法と、薄くのばして機械で切断する方法がとられている。

じつは、「ひやむぎ」の製法としては、機械製麺のほうが、昔の製法に近い。

小麦粉を水で練り、めん棒で広げ、包丁で切って麺にする「きりむぎ」は、鎌倉時代中期以前から京都で食べられていた。うどんとつくりかたはそっくりだが、同時代の記録では「きりむぎ」と「うどん」ははっきり区別されている。おそらく、現代の「そうめん」「ひやむぎ」と同じく、太さによってよび分けたのだろう。**「きりむぎ」は、江戸で「ひやむぎ」とよばれるようになった。**「ひやむぎ」は関西よりは関東でなじみが深く、江戸では夏の暑い時季に「ひやむぎ」や「そうめん」を食べ、冬になれば熱い「にゅうめん（そうめん汁）」を食べた。

また、「そうめん」とちがって「ひやむぎ」は製造するときに油をつかわない。引きのばすのではなく、包丁で切るのだから、油は必要ないわけだ。

ちなみに、「うどん」と「ひやむぎ」の中間ぐらいの太さをもつ秋田県の「稲庭《いなにわ》うどん」は、「そうめん」のように引きのばしてつくるが、油はつかっていない。また、宮城県白石市の「温麺《うーめん》」も油はつかわず、現在は機械で切っている。

87 「きしめん」と「ひもかわ」の謎

元祖は平打ち「芋川うどん」か

◆革紐に似ているという説への反論

「うどん天下一決定戦」で2013年の第一回と2014年に連覇をなしとげたのが、群馬県館林市の「五代目 花山うどん」だ。うどんといっても、その姿は強烈なインパクトがある。花山うどんで供される「鬼ひも川」の麺の幅は、およそ5センチもあるのだ。群馬県は幅広の「ひもかわ」が主流で、とくに桐生市では「ふる川」「藤屋本店」などの人気店がある。こちらは幅が10センチ以上もあって、注文した人は「まるで妖怪の一反《いったん》もめんだ」と目を丸くする。

「ひもかわ」は江戸時代にはすでに登場している。『守貞謾稿《もりさだまんこう》』では、その名称について、「**江戸では平打ちのうどんをヒモカワとよんでいる。**革紐《かわひも》に似ているからというが、細く切った革紐ならば、カワヒモというべきだろう。これは、**芋川《いもかわ》がなまったものではないか**」と推測している。

現在の愛知県刈谷市にあたる**三河《みかわ》国芋川は、平打ちのうどんが名物だった。**『東海道名所記』に「いも川、うどんそば切あり。道中第一の塩梅《あんばい》よき所也」とある。江戸に伝わった幅広のうどんが、名産地の地名にちなんで「いもかわ」とよばれ、やがて「ひもかわ」というようになった、とする説は説得力があるように思える。

「芋川うどん」は絶滅して久しかったが、近年、名物を復活させようという声が高まり、復刻版の「芋川うどん」が刈谷市の「きさん」で食べられる。「復刻版」というのは、レシピが残っていないからで、試行錯誤のすえに、たどりついたそうだ。

名古屋名物の「きしめん」は、この芋川うどんが起源とする説がある。同じ愛知県だから、伝わるのも早かったろう。『守貞謾稿』にも、「名古屋ではキシメンというなり」と書いてあるから、江戸時代には存在した。ただ、なぜ「きしめん」というのかについては諸説あって、ワンタンや餃子の皮の原型といわれる「碁子麺《キズミエン》」から変化したとか、雉《きじ》の肉を具にした「雉麺」がもとになったともいわれるがはっきりしたことはわからない。

はじめてラーメンを食べたのは水戸黄門か？

儒学者が教えたまぼろしの味

88

◆光圀が好んで料理した「黄門ラーメン」

ラーメンはいまや本家の中華料理を離れ、独自の進化をとげた和食といってさしつかえないだろう。ラーメンという言葉自体は、拉麺《ラーミエン》、老麺《ラーミエン》、あるいは肉麺《ロウミエン》を語源とする説があり、また、**はじめてラーメンを提供した店は、明治四十三年（1910）開業の、浅草「来々軒《らいらいけん》」というのが定説**になっている。その後、札幌ラーメンや博多ラーメンのブームがあり、現在は、つけ麺をはじめ、さまざまなバリエーションのラーメンが味を競っているのはご存じのとおりだ。

テレビで紹介されて以来、水戸黄門こと徳川光圀《とくがわみつくに》が、日本ではじめてラーメンを食べた人物として語られるようになった。

光圀に「ラーメン」をふるまったのは、中国の儒学者・朱舜水《しゅしゅんすい》である。朱舜水は明朝《みんちょう》の復興につとめたが挫折して、万治《まんじ》二年（１６５９）、日本の長崎へ亡命してきた。水戸藩主だった光圀は、朱舜水を江戸に招き、教えを請う。朱舜水は儒学だけでなく、造園や農業にも精通していた。東京ドームの脇にある小石川後楽園は、光圀が朱舜水に依頼して、水戸藩上屋敷内に造園したものだ。

朱舜水がつくった「ラーメン」は、中国から取り寄せたレンコンの粉と小麦粉で平打ちの麺にし、豚肉でとったスープに五辛《ごしん》とよばれるニンニク、ニラ、サンショウ、白カラシ、シャンツァイを薬味に添えたものだった、とされる。光圀は、この「ラーメン」が気に入り、水戸に隠居後も、自作して西山荘《せいざんそう》（茨城県常陸太田市）で客にふるまったりした、というのだが、はたしてこれがラーメンといえるのだろうか。

薬味はたしかに中華料理風だが、決定的なのは麺である。ラーメン最大の特徴である鹹水《かんすい》が入っていない。鹹水は、もとは塩湖からとれたアルカリ性の塩水で、いまは炭酸ナトリウムと炭酸カリウムを混合した水をつかっている。ラーメンの麺のコシや色や香りに大きく影響する。

朱舜水が伝え、光圀が好んだ麺料理は、どちらかといえば、「中国風うどん」といっていいのではないだろうか。

和食こぼればなし

江戸庶民が親しんだ和菓子とは？

飴《あめ》をねじったキャンディのような有平糖《ある(あり)へいとう》や金平糖《こんぺいとう》は、室町時代に南蛮《なんばん》貿易を通して伝わったものだ。有平糖のアルヘイはポルトガル語で砂糖菓子をさす。金平糖の語源も同じくポルトガル語の砂糖菓子だ。

砂糖をつかった菓子が普及する以前の江戸初期は「はったい」とか「香煎《こうせん》」ともよばれる「麦こがし」や干菓子が主流だった。また、葛粉《くずこ》、砂糖、もち米に水飴をまぜて練った「求肥《ぎゅうひ》」もおなじみだった。江戸にはなかった菓子で、京都から職人がよび寄せられ、その後、神田鍛冶町の「丸屋播磨《はりま》」をはじめ、求肥を売る店が増えていった。江戸時代を通じて高級だったのが羊羹《ようかん》だ。江戸後期に日本橋新道の店で「練り羊羹」が売られはじめた、と『蜘蛛《くも》の糸巻《いとまき》』にあり、幕末のころの値段は、長さ六寸（約18センチ）、一寸（約3センチ）角の一棹《さお》が銀二匁《もんめ》だった。いまならおよそ二千五百円ほどで、当時としてもかなり高価だった。

■参考文献

『居酒屋の誕生――江戸の呑みだおれ文化』飯野亮一著・ちくま学芸文庫
『江戸っ子は何を食べていたか』大久保洋子監修・青春出版社
『江戸の庶民が拓いた食文化』渡邉信一郎著・三樹書房
『江戸の料理史』原田信男著・中公新書
『江戸物価事典』小野武雄編著・展望社
『大江戸美味草紙』杉浦日向子著・新潮社
『鰹節考』山本高一著・筑摩書房
『関西と関東』宮本又次著・青蛙房
『魚醤とナレズシの研究――モンスーン・アジアの食事文化』石毛直道、ケネス・ラドル著・岩波書店
『原本現代訳　豆腐百珍』何必醇原著／福田浩訳・教育社新書
『古典落語』興津要編・講談社文庫
『知っておきたい「食」の日本史』宮崎正勝著・角川ソフィア文庫
『食の風俗民俗名著集成7　醤油味噌の文化史』平野雅章著・東京書房社
『すしの事典』日比野光敏著・東京堂出版
『図説江戸時代食生活事典』篠田統、川上行蔵ほか著／日本風俗史学会編・雄山閣

『そばとうどん』大槻茂著・透土社
『蕎麦の世界』新島繁、薩摩夘一共編・柴田書店
『たべもの史話』鈴木晋一著・平凡社
『漬物と日本人』小川敏男著・NHKブックス
『日本語源大辞典』前田富祺監修・小学館
『日本食生活史』渡辺実・吉川弘文館
『日本食の伝統文化とは何か――明日の日本食を語るために』橋本直樹著・雄山閣
『日本全国おでん物語』新井由己著・生活情報センター
『日本民俗文化大系1　風土と文化＝日本列島の位相』谷川健一ほか著・小学館
『日本めん食文化の一三〇〇年』奥村彪生著・農文協
『日本料理事物起源』川上行蔵著／小出昌洋編・岩波書店
『日本料理の歴史』熊倉功夫著・吉川弘文館
『信長の朝ごはん　龍馬のお弁当』俎倶楽部編・毎日新聞社
『秘伝！　相撲部屋ちゃんこレシピ』どす恋花子著・文藝春秋
『別冊歴史ＲＥＡＬ　江戸の食大図鑑』洋泉社ＭＯＯＫ
『ものと人間の文化史89　もち(糯・餅)』渡部忠世、深澤小百合著・法政大学出版局
『ものと人間の文化史99　梅干』有岡利幸著・法政大学出版局

『守貞謾稿図版集成』高橋雅夫編著・雄山閣
『酔っぱらい大全』たる味会編・講談社
『和食とはなにか――旨みの文化をさぐる』原田信男著・角川ソフィア文庫
『和食の履歴書――食材をめぐる十五の物語』平野雅章著・淡交社

＊図版製作／澁川泰彦

本作品はだいわ文庫のための書き下ろしです。

武田櫂太郎（たけだ・かいたろう）
一九五六年宮城県生まれ。法政大学社会学部卒業後、新人物往来社入社。『歴史読本』ほか雑誌・単行本の編集者をへてフリーの歴史ライター。全国各地の史跡を探訪しながら郷土料理を食べ歩き、意外なエピソードを発掘している。
主な著書『目からウロコの江戸時代』（PHP研究所）、時代小説では五城組裏三家秘帖シリーズ『暗闇坂』『月下の剣客』『霧幻の峠』（二見書房）。共著に『信長の朝ごはん 龍馬のお弁当』（毎日新聞社）、『酔っぱらい大全』（講談社）ほか。だいわ文庫では『知るほどに訪ねたくなる 歴史の百名山』『暦と日本人88の謎』がある。

だいわ文庫

誰《だれ》かに話《はな》したくなる！
「和食《わしょく》と日本人《にほんじん》」おもしろ雑学《ざつがく》

著者　武田《たけだ》櫂太《かいた》郎《ろう》

二〇一六年三月一五日第一刷発行

発行者　佐藤 靖
発行所　大和《だいわ》書房
東京都文京区関口一―三三―四 〒一一二―〇〇一四
電話 〇三―三二〇三―四五一一

フォーマットデザイン　鈴木成一デザイン室
本文デザイン　福田和雄（FUKUDA DESIGN）
編集協力　辻口雅彦（草樹社）
本文印刷　信毎書籍印刷
カバー印刷　山一印刷
製本　小泉製本

ISBN978-4-479-30581-1
乱丁本・落丁本はお取り替えいたします。
http://www.daiwashobo.co.jp

だいわ文庫の好評既刊

＊春日和夫
江戸・東京88の謎
城跡、街道、宿場町、遊郭の名残、呪詛と信仰、封じられた異界と中世のパワー……今も残る江戸の痕跡を辿り歴史の謎と不思議を繙く。
680円 264-1 H

＊武田櫂太郎
暦と日本人88の謎
誰が暦を作ったの？ 月の長さはなぜ違う？ 五節句にはどんな意味がある？ 日本古来のしきたりの目的は？ 暦の不思議を繙く本！
700円 272-2 E

＊武田櫂太郎
知るほどに訪ねたくなる歴史の百名山
歴史を訪ねる、ゆかりの人物の横顔を知る……歴史から日本の山の魅力を紹介！ 標高5mから3776mまで名山は各地にあり！
680円 272-1 E

＊瀧音能之 監修
「古代史」ミステリーツアー
邪馬台国から出雲神話、聖徳太子、天孫降臨、ヤマトタケルまで……17のルートで遺跡や古墳を辿りつつ古代史の謎に迫る！
650円 302-1 H

＊ベスト・ライフ・ネットワーク
これ1冊で！ 感じよく話せる「大人の言い方」辞典
言葉の選び方ひとつで印象は大きく変わる！ 心に届くお詫び、感謝が伝わる話し方、やんわり断る大人言葉……今日から使える本！
650円 145-3 E

＊ベスト・ライフ・ネットワーク
これ1冊で！ もっと愛される「大人のマナー・常識」辞典
知っているだけで差がつく、愛される！ 冠婚葬祭からビジネスまで、押さえておきたい常識と好感度アップのポイントを紹介！
680円 145-4 E

＊印は書き下ろし

表示価格はすべて本体価格（税別）です。本体価格は変更することがあります。